はじめても縫える

こどものきもの

七五三の晴れ着＊被布＊羽織＊はかま＊お正月のきもの＊ゆかた

林 ことみ

文化出版局

目　　次

我が子の成長を祝う七五三。一生に一度だけのこの日を親子ともども思い出深いものにしたいですね。そのためには、ドレスやスーツもいいのですが、伝統的なきもの、それも手作りでお祝いしてあげませんか。きものなんて縫ったことのないお母さんがほとんどでしょうが、そんなお母さんにも必ず作れるように、詳しいイラストプロセスの本にしました。

和裁の基礎知識のない方にもできるように、わかりやすい言葉と縫い方にしてあります。

本格的な和裁ではなく、洋裁感覚で作るきものです。ですから、ミシンで縫えるところはミシンで、手縫いでなければできないところは手縫いにしてあります。

布地は古いきもの柄を再現したもので、素材はポリエステルですが、シルクに負けないくらい見栄えがします。それに洗濯が簡単なので安心して着せられます。男の子のアンサンブルは無地のポリエステル縮緬。はかまはウールのストライプ地を使いましたが、好みによって、金襴でもいいでしょう。

半衿は既製品でいいのですが、本書では幅広のリボンを使いました。おそろいのリボンを髪飾りにしてもいいですね。

本来のきものの作り方、着方にとらわれず、とりあえずきものを作って楽しむという趣旨の本ですので、裾回しや袖口布の色や素材にオリジナリティを発揮して、我が子のためだけのきものを作ってあげてください。

フリル衿の被布で
あどけなく、愛らしい
三歳のお祝い

ばらの押し絵を背守りにして

背中心に縫い目がないと、
そこから悪霊が入ってくるといわれ、
背縫いのないきもの
（0歳から3歳ぐらいまで）には
背守りをつけるのが慣習となっている。
子どもの育ちにくかった昔、
親の願いを込めた背守り。
現代でも親の思いは同じはず。

花ボタンも手作りで

花のような飾りボタンは打ちひもで作ったもの。
赤、白や、赤、金など、きれいな色のひもを使うと華やか。
房は手芸屋さんなどで手に入る。

神様からの預かり物から人間の子ども
になる三歳のお祝い。無事、元気に育
ったことを感謝して、心を込めて縫い
たい。被布はこの年齢であればこその
ものなので、ぜひきものとセットで作
ってほしい。衿にフリルをつけたら、
いっそうかわいいお祝い着に。

五歳は、現在では男の子だけのお祝い。

はかまをつけると祝い着らしい品格が出る。本式には仙台平で作るが、ここでは、はじめてでも仕立てやすいようにウール地を使用。きものはひとえにし、羽織は柄物の裏布を使い、あわせに仕立てると本格的なひとそろいになる。帯は博多帯や、三尺を締める。羽織のひもは呉服屋さんで手に入る。

押し絵の背紋

羽織は本式には**五つ紋**だが、
押し絵を紋代りに3か所つける。
図柄は好みでいいが、
シンプルな形が作りやすい。
和ぎれ屋さんなどで
端ぎれを買って作るといい。

身頃にも押し絵紋

肩上げをしてからバランスよくつける。
下着は肌じゅばんを着せ、
きものの色に合わせた絞りの布を
半衿としてつけると、衿もとが締まって
なかなか素敵な着こなしに。

五歳男子は
りりしく、雄々しく
羽織はかまでお祝い

9

七歳のお祝い着は
華やかな柄の振り袖で

10

七歳を過ぎれば、きものの仕立てにおいては大人と同じになる年齢。反物で作るきものでなければ実感はないが、この年齢を過ぎればもう大人。大きくなってもきもののよさを忘れずにいてほしい。そのためにも七歳のお祝い着は手縫いのきものを用意したい。物心ついてからの大事な節目に、母親手作りのきものを着た記憶は、豊かな人生の第一歩になるにちがいない。

母のセンスが生きるリボンの半衿

西陣織のリボンは半衿にぴったり。

慣習にとらわれることなく、

気に入ったコーディネートで祝いたい。

伊達衿もまたしかり。

きものと半衿を生かす色を見つけ、

品よくつけたい。

よそいきのゆかたは帯も手作りで

ゆかた柄とは思えない、シックな色柄にはかわいい三尺帯は似合わないので帯も手作りに。素材は光沢のきれいなタイシルク。袖丈は布の雰囲気に合わせて、元禄袖ではなく、長袖にする。着丈は縮緬のきものより、心持ち短めに腰上げをするといい。

大きな蝶結びのつけ帯

薄くキルト芯を入れて作ってあるので
蝶結びもきれいに作れ、つけ心地もいい。
帯の重なる部分は
ゴムテープを入れてフィットさせ、
マジックテープやスナップなどで
サイズの調節ができるようにする。

普段は活発な女の子も、きものは大好き！　お正月はぜひきもので迎えさせたい。シックな柄のきもの地は、実はポリエステル縮緬なので、洗濯ができるから親子ともども、安心していられる。袖は元禄より長く、振り袖よりは短い丈にして立居振舞いのじゃまにならないように。

13

工夫のある華やかな衿もと

半衿はなんと、リボン。幅広タイプを使えば、
子ども用として立派な半衿になる。
伊達衿はもちろん市販のものでかまわないが、
きものに合う色の無地縮緬で作ると、新鮮な着こなしができる。

小物もおそろい、手作りで

フリルきんちゃく

ぼたん色のフリルをきかせて。
優しい丸みがお姉さん風。

お手玉きんちゃく

きものと裾回しの残り布をお手玉のように
はいだ、かわいく、まあるい袋。

かごきんちゃく

小さなざるにゆかた地をつけただけ
とは思えない夏のきんちゃく。

ビーズきんちゃく

ビーズのフリンジと
絞り柄のアップリケが和風でおしゃれ。

さあ、縫ってみましょう

材料がそろったらいよいよ作り始めましょう。意外に手間のかかるのが裁断。
作業工程を決めて、今日は裁断、明日は袖を1枚作って、というように無理せず、
丁寧に作ってください。図を見ただけでは想像できないところも、まず縫ってみましょう。
きもののできる工程を子どもと一緒に楽しんで、その日を迎えてください。

●材料、裁合せ図と詳しい作り方プロセスはページが分かれていますので、あわせてご覧ください。

古い柄を使ったレトロ調のポリエステル
縮緬はいろいろな柄があるので、年齢に
合った、色や柄の大きさを選びましょう。
縫い針は四ノ二、四ノ三が適当です。こ
れは太さは同じでも長さが違うものなの
で、自分が使いやすいと思うほうで。指
ぬきは使い慣れるとやっぱり便利な道具
です。糸はシルク、またはポリエステル
の手縫い糸を使います。ほかに、裁断す
るときに巻き尺があると便利です。子ど
も用とはいえ、洋服と違って丈が長いの
で50cmの物差しでははかりにくいし、
正確にはかれません。手縫いは、少しの時
間を利用してできる点がうれしいですね。

針山は残り布で作ったもの。こんな小物が
あると、作業も進みそうです。まち針もか
わいいハート形でちょっとうきうきしてし
まいます。右のくけ台とかけはりは裾など
をまつるときにとっても便利な道具。使い
方はおばあさんにきいてみましょう。

●きもの各部の名称

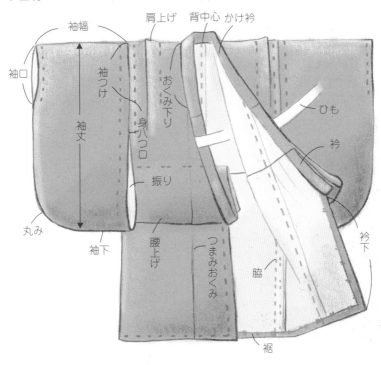

●きもの寸法表

単位＝cm

名称＼身長	90	100	110	120
身　丈		身長と同じ		
後ろ幅	20	24	25	26
前　幅	28	32	33	34
おくみ下り	10	12	14	15
袖　幅	24	28	29	31
元禄袖丈	25	30	32	35
長袖丈	45	55	60	65
振り袖丈	55	65	70	75
袖　口	13	15	16	17
袖つけ	15	15	16	17
衿肩あき	4	4.5	5	5.5
身八つ口	10	10	10	10
衿　下	25	30	35	40
衿　幅	3.5	4	4	4.5
かけ衿丈	50	55	60	65

●着丈、ゆき丈のはかり方

着丈は肩から足首までの寸法。ゆかたの場合は少し短めにするといい。ゆき丈は首の中心から手首までの寸法。このとき、手は少し下げた状態ではかるといい。

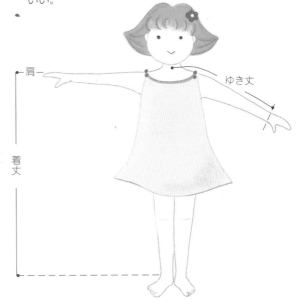

ひとえきもの（ゆかた）

●写真12ページ、縫い方30ページ

●出来上り図

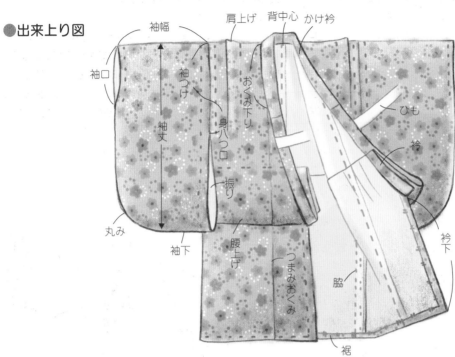

袖幅　肩上げ　背中心　かけ衿
袖口　袖つけ　おくみ下り　ひも　衿
袖丈　身八つ口　振り　衿下
丸み　袖下　腰上げ　つまみおくみ　脇　裾

ひとえきもの（ゆかた）

18

●裁合せ（数字は順に90・100・110・120サイズ）

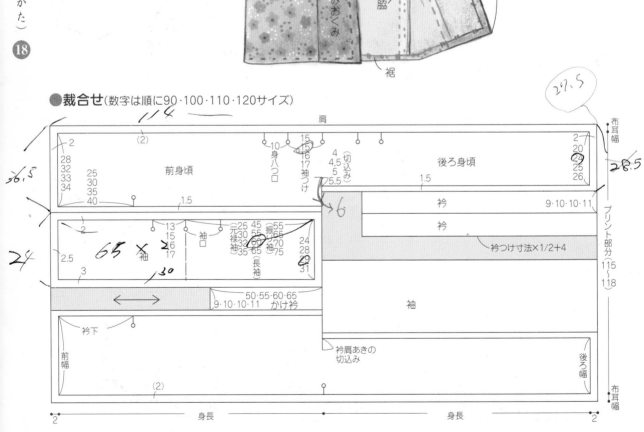

肩　布耳幅

前身頃　身八つ口　後ろ身頃

2　(2)　10　15　15　4　2
28　15　4.5　20
32　16　4.5　24
33　17　5　25
34　25　切込み　袖つけ　5.5　26
30　35　40　1.5　1.5

衿　9・10・10・11

衿　プリント部分（115〜118）

衿つけ寸法×1/2＋4

2　13　45　55
15　25　55　65　24
2.5　16　30　55　60　28
17　35　65　70　29
3　（元禄袖）35・65・75（長袖）　31

袖

50・55・60・65
9・10・10・11　かけ衿

衿下　前幅　袖　衿肩あきの切込み　後ろ幅

(2)　身長　身長

2　2

布耳幅

＊材料

122cm幅ポリエステル縮緬（110cm幅プリント木綿）を身長×2＋5cm、または振り袖丈×4＋10cm（120サイズは身長×2＋袖丈×2＋10になる）　さらし80cm　手縫い針（四ノ三、普通地用短針）　絹またはポリエステル手縫い糸（ゆかたの場合は木綿の手縫い糸細口）

＊裁ち方ポイント

左ページの裁合せ図を参照して裁つが、まず身頃を裁ててから残ったところで袖、衿を裁つ。大きいサイズの場合は布幅がぎりぎりのこともあるので、なるべく余分な

ところにはさみを入れないように裁つ。ポリエステル縮緬の場合、布の耳の白い部分が広いものがあるので、その場合は縫い代幅を調節するといい。

＊縫い方ポイント

背中心、脇、袖の振りと袖下はミシンで縫うと早くできる。それ以外の部分はポリエステル縮緬は手縫いにする。ゆかたの場合は袖口や衿下、裾をミシンで縫ってもいい。ただし衿つけ、袖つけは、手縫いにしたほうがきれいにできる。おくみはなしで仕立ててもいい。男の子のゆかたは筒袖か舟底袖にする（下の図を参照）。

●筒袖

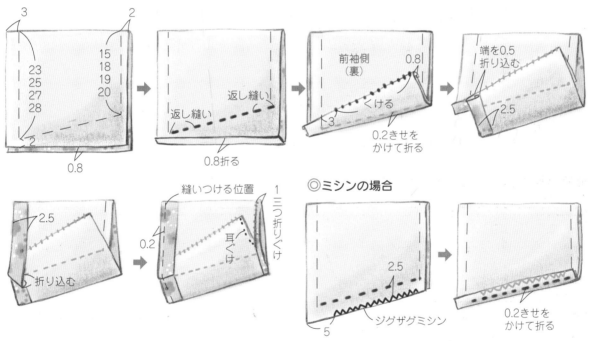

●舟底袖

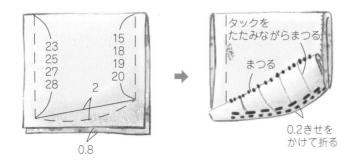

◎ミシンの場合

あわせきもの

●写真6・10・13ページ、縫い方41ページ

＊材料

表布122cm幅ポリエステル縮緬を身長×2＋5cmまたは
振り袖丈×4＋10cm（120サイズは身長×2＋袖丈×
2＋10になる） 胴裏90cm幅裏布（身長－衿下寸法）×
2＋袖丈×2－10cm 別布110cm幅（p.6は絞り柄ポリ
エステル、p.10はバックサテンシャンタン、p.13は無
地ポリエステル縮緬） 衿下寸法×2＋26cm 幅広リボ
ン（半衿用）80cm さらし80cm 手縫い針、糸は
p.19と同じ

＊裁ち方ポイント

表布はひとえと同じだが、縫い代寸法が場所によってひ
とえと違っているので気をつける。

胴裏は裏布で裁つ。裏布は扱いにくいので、タオルのシー
ツなど、すべりにくい布に広げて裁つといい。裾回し
は表布と合わせてみて、アクセントになる色を選ぶ。

＊縫い方ポイント

p.41からの縫い方を参照。袖口や袖つけ止り、身八つ口
のあき止りなど、丈夫に仕上げたいところは図を参考に、
糸を布にくぐらせてしっかり止める。背中心、脇、おく
みは表身頃と裏身頃の縫い代を合わせて中とじをする
が、このとき表と裏がずれないように、様子を見ながら
しつけ糸でとじる。袖や衿はあらかじめ出来上りに折っ
ておくと、きれいにきせがかかる。

●表布の裁合せ（数字は順に90・100・110・120サイズ）

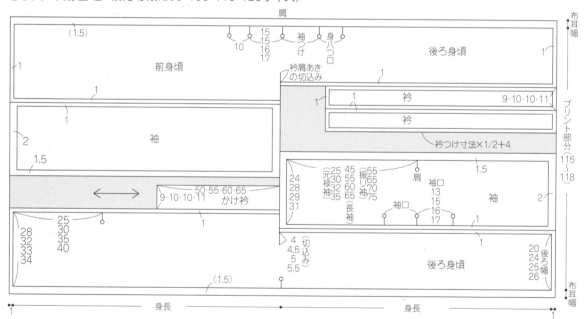

●出来上り図

袖口ぶき

胴裏

裾回し

裾ぶき

袖口布

裏袖

●別布の裁合せ

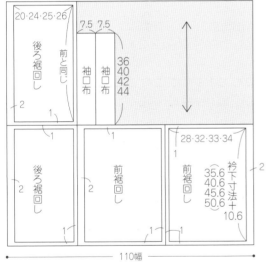

20・24・25・26

後ろ裾回し

前と同じ

2

1

7.5　7.5

袖口布　袖口布

36
40
42
44

後ろ裾回し

2

1

前裾回し

2

1

28・32・33・34

前裾回し

1

衿下寸法＋

35.6
40.6
45.6
50.6

10.6

2

1

1

1

110幅

●胴裏の裁合せ

裏袖（表袖と同じ）

身長－10－衿下寸法

前胴裏

後ろ胴裏

1.5

2

1

1

わ

90幅

被布（3歳用）

●写真6ページ、縫い方50ページ

＊材料

表布110cm幅無地ポリエステル縮緬1.4/1.5m　胴裏
90cm幅裏布1/1.1m　110cm幅キルト芯1.2/1.3m　ス
ナップ2組み　打ちひも2m　飾り房4個　押し絵用の
端ぎれ　キルト芯　手縫い針、糸はp.19と同じ

＊縫い方ポイント

キルト芯はできるだけ薄いものを使う。衿のフリルは好
みでつける。花結びは打ちひもで図を参照して作るが、
短いと作りにくいので長いままで結び、余分をカットす
る。しゃか結びは2個、花形結びは4個作り、しゃか結
びを2個の花形結びにとじつけ、残りの花形結びはルー
プを作ってとじつける。花結びのひも先は飾り房に押し
込み、手芸用ボンドで止める。ループの花結びは衿のす
ぐ下に、しゃか結びのほうはそれに合わせてとじつける。
背縫いなしの仕立てなので、背守りをつける（p.71）。

●**表布の裁合せ**（数字は順に90・95サイズ）

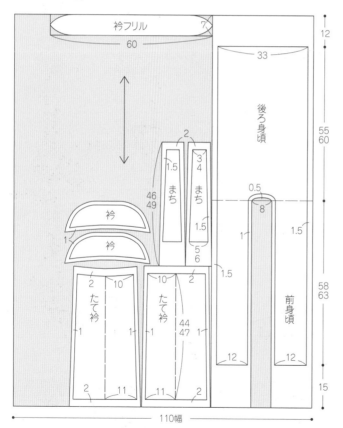

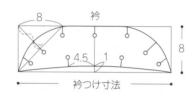

●**胴裏の裁合せ**

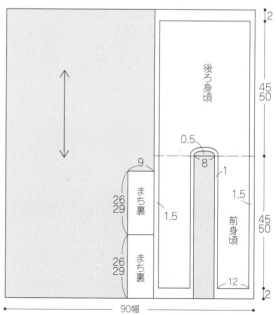

●出来上り図

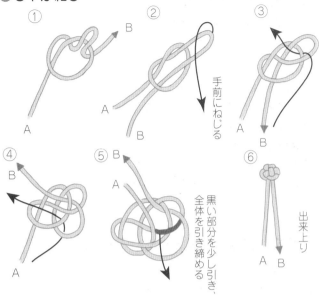

肩上げ
2〜2.5

衿

衿

後ろ

前

袖あき

スナップ

たて衿

まち

1

1

5

5

●花結びのつけ方

しゃか結びのひもを
裏にとじつける

ひもの1本は
先をループを作って
差し込み、結んで
裏にとじつける
ボンドでつける

もう1本は
ループを作って
裏にとじつける

2本差し込んで
ボンドでつける

●しゃか結び

①

② 手前にねじる

③

④

⑤ 黒い部分を少し引き、全体を引き締める

⑥ 出来上り

A　B

●花形結び

① C　B

② A　C　B

③ A　C　B

④ A　B　C

⑤ C　A　B

⑥ A　B　C

⑦ C　A　B　通す

⑧ 出来上り　引き締める

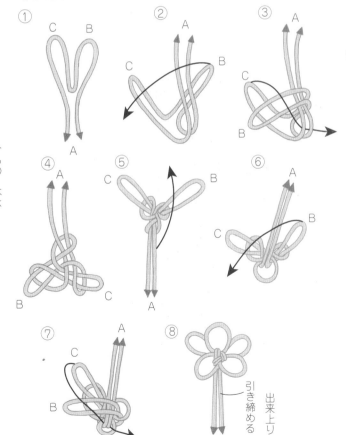

羽織とひとえきもの（5歳男児用）

■●写真8ページ、羽織の縫い方56ページ、ひとえきものの縫い方30ページ

＊材料

表布110cm幅無地ポリエステル縮緬を羽織用、きもの用
各2.4m　胴裏90cm幅裏布（羽織用）2m　さらし1.7m
押し絵用の端ぎれ　ドミット芯　ボール紙12×12cm
金糸　羽織のひも　手縫い針、糸はp.19と同じ

＊縫い方ポイント

きものはひとえ仕立て。羽織は表布が映えるような、柄
物の裏布をつける。袖は袖口布に表布を使用して作るが、
あわせきものとは違い、袖口布はふき出させないように
仕立てる。前身頃は前下りをつける。衿は裏布とさらし
の芯を入れ、アイロンをきかせて作っておくときれいに
つけられる。乳（ひもつけ）は衿をつけるときにはさむ。
位置は数字を目安にして決める。羽織のひもは呉服屋さ
んで入手したものを使う。押し絵（作り方はp.71）は肩上
げをしてからつける。前は肩から13cmぐらい下がった
ところに、背中（背守り）は9cmぐらい下がったところ
につける。

●羽織胴裏の裁合せ

●羽織表布の裁合せ

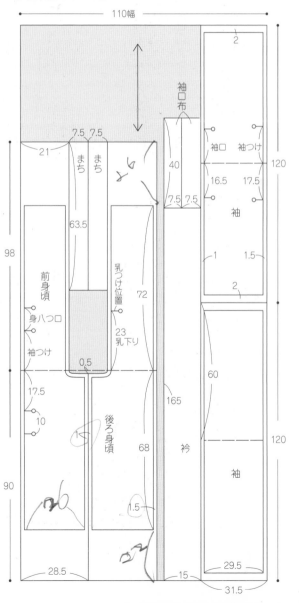

●羽織の出来上り図

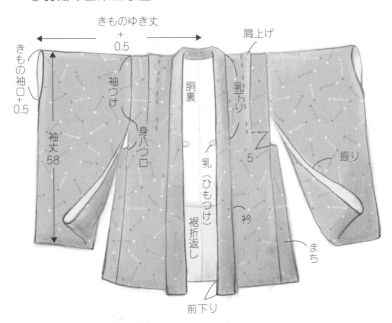

きものゆき丈
+
0.5

きもの袖口
+0.5

袖丈
58

肩上げ

袖つけ

身八つ口

胴裏

乳下り

5

乳
(ひもつけ)

裾折返し

衿

振り

まち

前下り

●乳の作り方

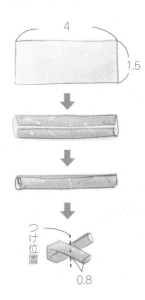

4

1.5

つけ位置

0.8

25

●きものの出来上り図

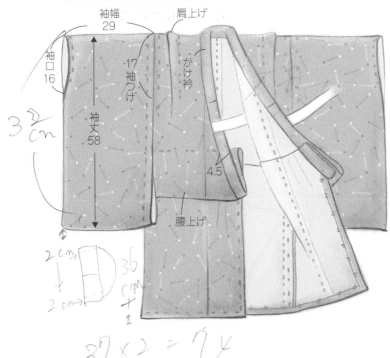

袖幅
29

肩上げ

袖口
16

17
袖つけ

かけ衿

袖丈
58

4.5

腰上げ

●羽織寸法表

単位＝cm

衿幅	4.5
袖幅	29.5
袖丈	58
袖つけ	17.5
袖口	16.5
羽織丈	68
身八つ口	10
衿肩あき	7.5
まち幅	上2.5
まち幅	下4.5
乳下り	23

32cm

2cm

36cm

2cm

37×2＝74

はかま

●写真8ページ、縫い方62ページ

＊材料

144cm幅紳士服用ウール1.4m　ボール紙21×21cm
さらし30cm　手縫い針、糸はp.19と同じ

＊縫い方ポイント

前、後ろそれぞれ裾を上げたら、p.62の図を参照してひ
だをたたむ。アイロンで折り目をつけるたびにしつけ糸
でひだを押さえ、着用するまでつけたままにしておく。
腰板はボール紙3枚とさらし4枚を交互に重ねてはりつ
けて作り、乾いてから形にカットして使う。ひもはミシ
ンで作る。

＊丈の決め方

はかま丈寸法はここでは60cmに仕上げているが、子ど
もの身長に合わせて調節する。長くする場合は、相引き
寸法も長くする。短くする場合はその逆に。

●裁合せ

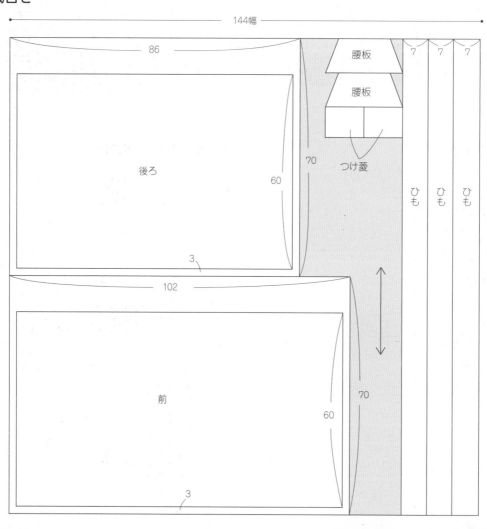

●前の名称

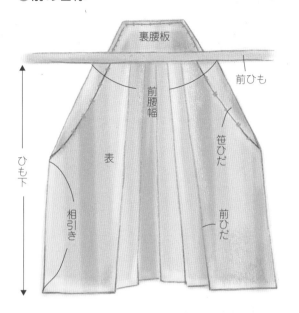

裏腰板 / 前ひも / 前腰幅 / 笹ひだ / 表 / 前ひだ / 相引き / ひも下

●後ろの名称

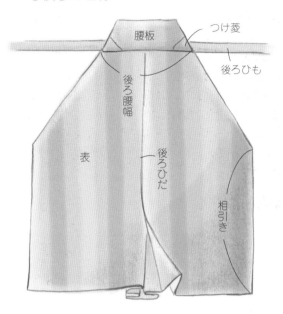

腰板 / つけ菱 / 後ろひも / 後ろ腰幅 / 表 / 後ろひだ / 相引き

●はかま寸法表

単位＝cm

ひ も 下 丈	はかま丈－2.5
相 引 き	36
後 ろ 腰 幅	21
腰 板 幅	上13　下21
腰 板 高 さ	7
つ け 菱 幅	7
つ け 菱 高 さ	4.5
前 腰 幅	24
後ろひもの長さ	70
前ひもの長さ	240
ひ も 幅	2.5

●ひも下寸法の決め方

2～3cm / 帯（三尺でいい） / きものの着丈は少し短めに / はかま丈 / くるぶし

手縫いの基礎

●玉結び

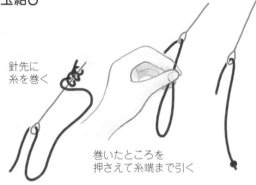

針先に
糸を巻く

巻いたところを
押さえて糸端まで引く

●並縫い

0.3　　0.3

●半返し縫い

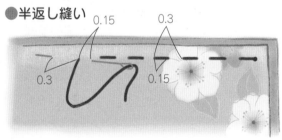

0.15　　　　0.3

0.3　　　　　0.15

●本返し縫い

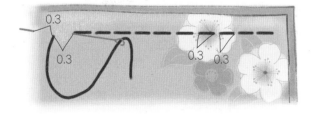

0.3

0.3

0.3　　0.3

●打止め

●1針返し止め

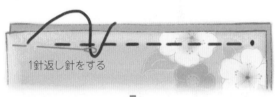

1針返し針をする

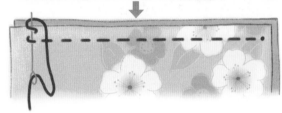

●すくい止め

斜めに小さくすくって
糸を巻く

●糸つぎ

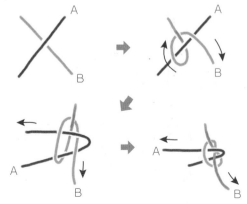

●袋縫い

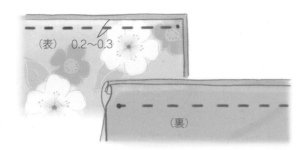

（表）　0.2〜0.3
（裏）

●折伏せ縫い

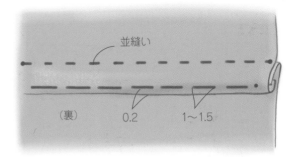

並縫い
（裏）　0.2　1〜1.5

●隠しじつけ

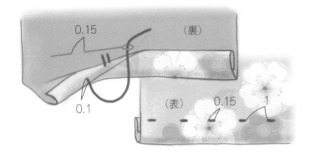

0.2
（裏）　1〜1.5
（表）
0.15　0.3〜0.4

●本ぐけ

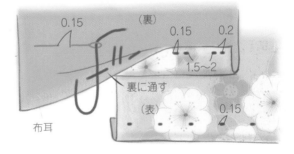

0.1〜0.2
0.5〜0.7
（表）

●三つ折りぐけ

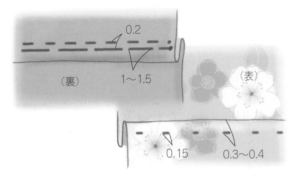

0.15　（裏）
0.1
（表）　0.15　1

●耳ぐけ

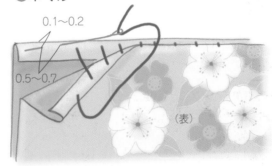

0.15　（裏）
0.15　0.2
1.5〜2
裏に通す
（表）　0.15
布耳

●二目落し

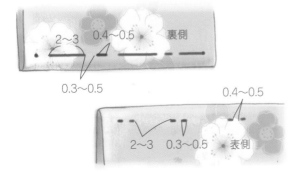

2〜3　0.4〜0.5　裏側
0.3〜0.5
0.4〜0.5
2〜3　0.3〜0.5　表側

●千鳥がけ

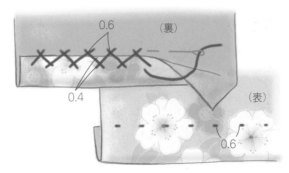

0.6　（裏）
0.4
（表）
0.6

ひとえの縫い方　●材料と縫い方ポイント、裁合せ、出来上り図は18・24ページ

印つけ　図のように縫い代をつけて裁つ。おくみ下り、衿下の寸法は、17ページを参照。

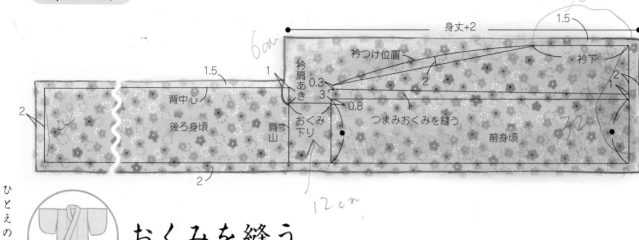

30

1.5

身丈+2

衿つけ位置

衿肩あき　0.3

3

0.8

背中心

1

2

衿下

2

1

つまみおくみを縫う

後ろ身頃

肩山

おくみ下り

前身頃

2

2

6cm

12cm

32

おくみを縫う

1

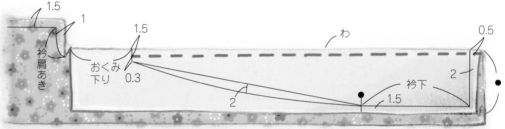

1.5

1

衿肩あき

1.5

おくみ下り　0.3

2

わ

0.5

2

衿下

1.5

おくみは別につけるのではなく、前身頃をたたんで裾からおくみ下りまで縫う。

2

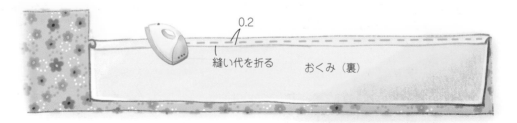

0.2

縫い代を折る　　おくみ（裏）

縫い代を縫い目の0.2cm外側から折り、アイロンをかける。

前身頃

0.2
（きせ）

おくみ（裏）

背中心を縫う

◎折伏せ縫いの場合(ポリエステル縮緬)

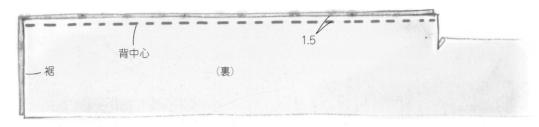

1

背中心

裾　　　　　　　　　（裏）

1.5

1.5cm幅で背中心を縫う。ここはミシンで縫うといい。ミシンの針目は大きくする。

2

縫い代を半分にカットする

衿肩あき　　　　背中心

左後ろ身頃の縫い代幅を半分にカットする。

3

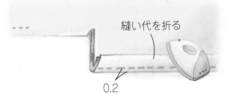

縫い代を折る

0.2

縫い代を縫い目の0.2cm外側から折る。

4

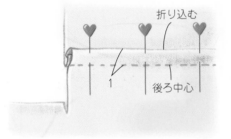

折り込む

1

後ろ中心

縫い目から1cm幅になるように縫い代を折り込み、まち針で止める。ここでもアイロンをかけると仕上りがきれい。

5

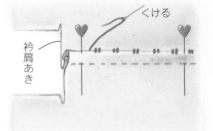

くける

衿肩あき

折り端を三つ折りぐけする。表に出る針目はなるべく小さくする。1～1.5cmぐらいの間隔で。

◎袋縫いの場合(ゆかたなど)

1

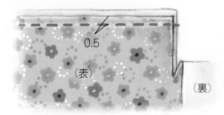

0.5

（表）

（裏）

後ろ身頃と外表に合わせ、0.5cm幅で縫い合わせる。

2

1

（裏）

中表にたたみ、1cm幅で縫い、縫い代を左身頃側に倒す。

脇を縫う

1

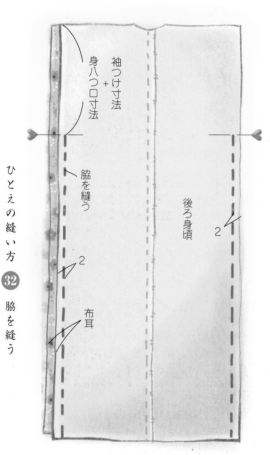

袖つけ寸法 ＋ 身八つ口寸法

脇を縫う

後ろ身頃

2

2

布耳

後ろ身頃と前身頃の脇を合わせ、裾から身八つ口のあき止りまで縫う。あき止りは返し縫いをする。

2

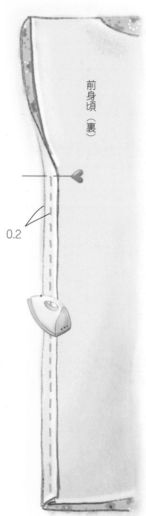

前身頃（裏）

0.2

縫い代を前身頃側に、0.2cmのきせをかけて折る。あき止りの手前から縫い代を自然に開き、身八つ口を折っておく。

3

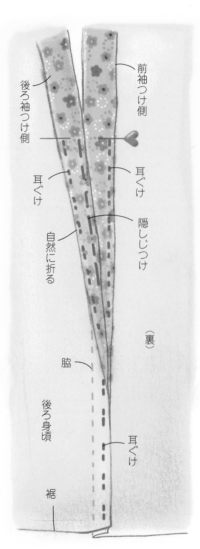

後ろ袖つけ側

前袖つけ側

耳ぐけ

耳ぐけ

隠しじつけ

自然に折る

（裏）

脇

後ろ身頃

耳ぐけ

裾

脇の縫い代を耳ぐけで止め、後ろ側の開いた縫い代は、0.2cmのきせをかけた状態を止めるために、隠しじつけをする（縫い方はp.29参照）。

衿下、裾をくける

1

衿下の縫い代1.5cmを三つ折りにしてくける（縫い方はp.29参照）。裾の縫い代2cmは、三つ折りにしてアイロンをかけておく。角は図のように折り線をつけておく。

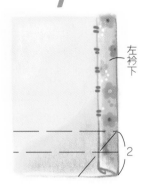

左衿下

2

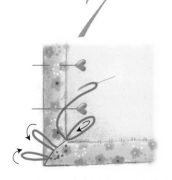

裾の角を折る。星印の位置がずれないように気をつける。

3

●印が角になるように裾を折り上げる。ここで裏から図のように針を出す。

4

裾を三つ折りにし、図のように糸を渡して角を仕上げる。

5

脇

おくみ縫い目

おくみの縫い目は、裾と同様にきせ山で返し縫い

きせ山の0.2手前で返し縫い

裾をくける。おくみ縫い目と脇縫い目はきせ山のところで返し縫いをする。

6

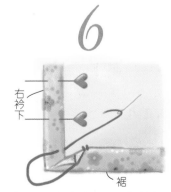

右衿下

裾

右身頃の裾角まできたら針を図のように出す。

7

図のように糸を渡して角を仕上げる。

8

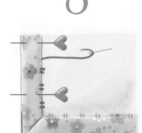

衿下をくける。くけたところにアイロンをかけて落ち着かせる。

衿をつける

◎ 衿を作る

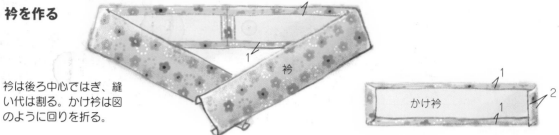

衿は後ろ中心ではぎ、縫い代は割る。かけ衿は図のように回りを折る。

◎ 衿をつける

1

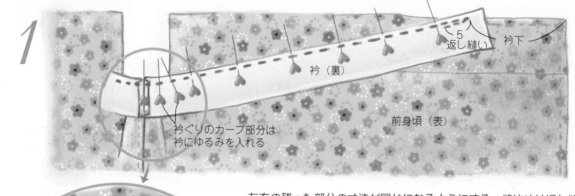

衿ぐりのカーブ部分は衿にゆるみを入れる

前身頃（表）

衿（裏）

5
返し縫い

衿下

左右の残った部分の寸法が同じになるようにする。縫始めは返し縫いをする。後ろ衿ぐりのカーブのところは、衿にゆるみを入れる。

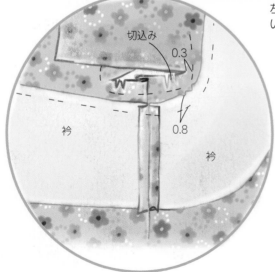

切込み

0.3

0.8

衿

衿

後ろ衿ぐりの縫い代に切込みを入れ、衿をつける。衿のほうの縫い代0.8cmを身頃の印と合わせ、まち針で止める。

2

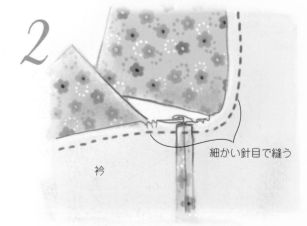

細かい針目で縫う

衿

後ろ衿ぐりのカーブのところは、ゆるみを入れた衿にしわが寄らないように気をつけて細かい針目で縫う。

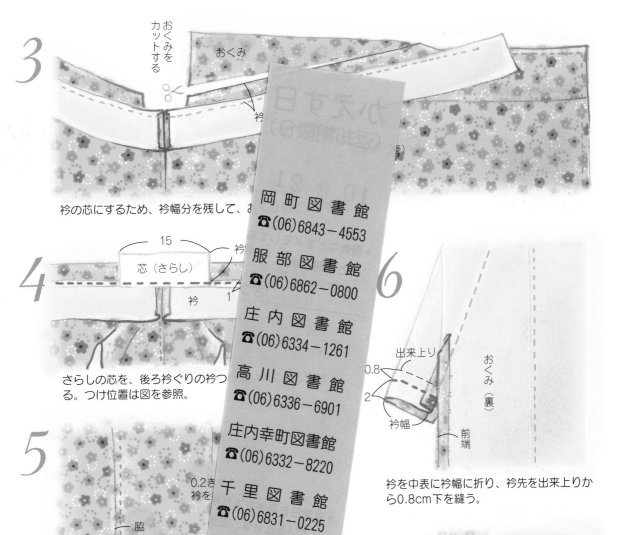

3

おくみを
カットする

おくみ

衿

衿の芯にするため、衿幅分を残して、お...

4

15

芯（さらし）

衿

さらしの芯を、後ろ衿ぐりの衿つ...
る。つけ位置は図を参照。

5

脇

前身頃（表）

0.2き...
衿を...

衿の縫い代を1cm幅で折る。こうすること...
0.2cmのきせがかかる。あらかじめ折ってあ
るので簡単。

6

出来上り

0.8

2

衿幅

おくみ（裏）

前端

衿を中表に衿幅に折り、衿先を出来上りか
ら0.8cm下を縫う。

7

衿（表）

衿をくける

おくみ（裏）

衿を表に返し、縫い代を1cm折り、衿つけ
の縫い目を隠すようにしながら、きわをく
ける。

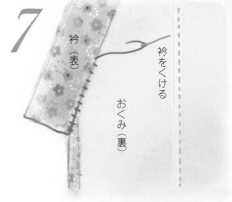

◎かけ衿をつける

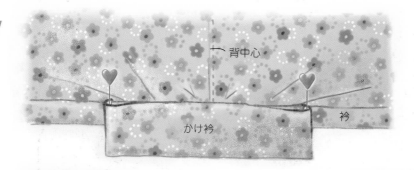

背中心とかけ衿の中心を合わせ、かけ衿のかかる部分の衿の中心をしつけ糸でとじておく。かけ衿は表衿側にまち針で止める。

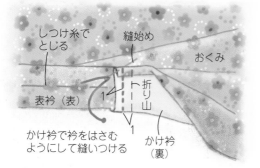

かけ衿は左身頃側からつける。まち針はそのままにして、図のようにかけ衿で衿をくるむようにし、端から1cmのところを裏衿側からぐるりと縫いつける。

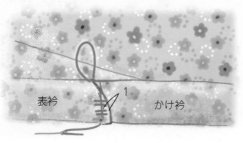

かけ衿を表に返して折り山から折り、縫い代がはみ出ないように整えて角に針を出し、表側を衿にそってくけていく。

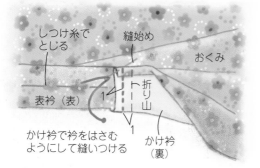

右身頃側の角までくけたら、折り山から内側1cmのところを縫いつける。裏衿のほうも同じように縫いつける。

裏衿側のかけ衿は衿より0.5cm控えてつける。表側のときと同じように角に針を出し、くける。

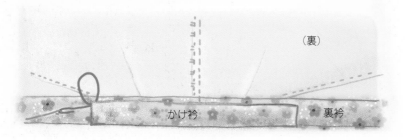

左身頃側の角までくけて、出来上がり。

袖を作る　元禄袖（長袖、振り袖も同じ）

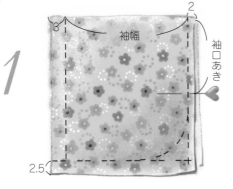

1

袖幅　2　3　袖口あき　2.5

袖に印をつける。ここでは手縫いの方法のプロセスで解説。ミシンで縫う場合は右下を参照。

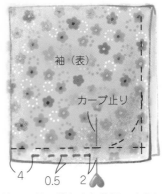

2

袖（表）　カーブ止り　4　0.5　2

袖下の縫い代を表から図のように縫う（袋縫いにする）。

3

袖（裏）　返し縫い　返し縫い　縫い合わされた部分

袖を縫い目のところから返し、アイロンで押さえ、袖口のあき止りまで縫い合わせる。縫始めと縫終りは返し縫いをする。

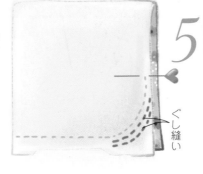

4

ぐし縫い

袖下のカーブの縫い代は四角いままにしておき、大きな針目で2本ぐし縫いをする。

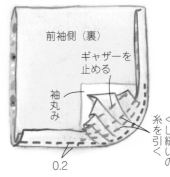

5

前袖側（裏）　ギャザーを止める　袖丸み　ぐし縫いの糸を引く　0.2

袖下のカーブに袖丸みの型紙（p.80）を当て、ぐし縫いの糸を引きながら縫い代を前袖側に折る。図のように0.2cmのきせをかける。

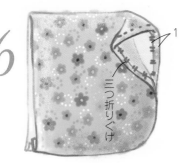

6

三つ折りぐけ　1

袖口の縫い代を三つ折りにして三つ折りぐけをする。

◎ミシンの場合

袖（裏）　1.5〜2　ぐし縫い　ジグザグミシン

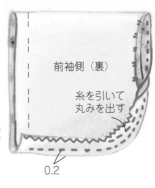

前袖側（裏）　糸を引いて丸みを出す　0.2

袖口は三つ折りぐけにする。ミシンの針目は大きくして縫う。縫い代は端をジグザグミシンで始末し、手縫いと同様、前袖側に倒す。

袖をつける

1

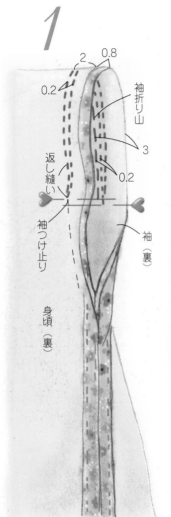

0.8
2
0.2
袖折り山
3
返し縫い
0.2
袖つけ止り
袖（裏）
身頃（裏）

袖の縫い代3cmは出来上りに
折っておく。身頃の袖ぐりを
袖から0.8cm控えてピンで止
め、身頃端から2cmのところ
を縫い合わせる。次に0.2cm
外側も縫う。布によっては耳
にプリントされていない部分
が2cm以上あるので、その
場合は白地が出ないように縫
い代幅を調節する。

2

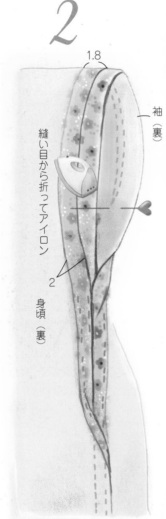

1.8
袖（裏）
縫い目から折ってアイロン
2
身頃（裏）

身頃側の縫い代を縫い目から
折り、アイロンをかける。この
とき、袖側につけた折り山を
消さないように注意する。

3

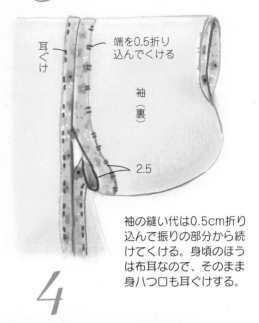

耳ぐけ
端を0.5折り
込んでくける
袖（裏）
2.5

袖の縫い代は0.5cm折り
込んで振りの部分から続
けてくける。身頃のほう
は布耳なので、そのまま
身八つ口も耳ぐけする。

4

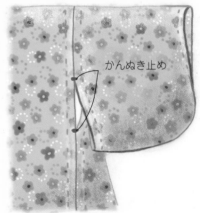

かんぬき止め

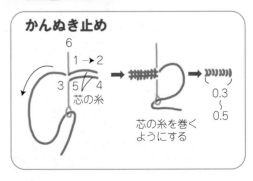

かんぬき止め

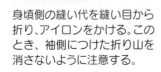

6
1→2
3 5 4
芯の糸

芯の糸を巻く
ようにする

0.3
～
0.5

肩上げ、腰上げをする

＊子どものサイズに合わせて肩上げと腰上げをする

◎肩上げ

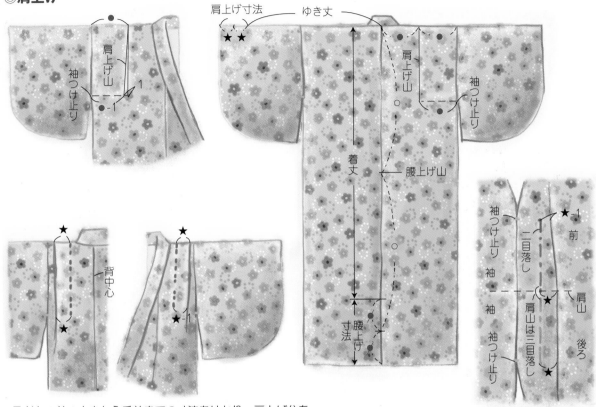

肩上げ寸法　　ゆき丈

肩上げ山

袖つけ止り

1

-1

★★

着丈

腰上げ山

腰上げ寸法

背中心

★

★

★-1

ひとえの縫い方 **39** 肩上げ、腰上げをする

袖つけ止り　袖
袖
袖つけ止り

二目落し

肩山は三目落し

★-1　前

肩山　後ろ

子どもの首の中央から手首までの寸法をはかり、肩上げ分を
決める。上げ山線の前身頃のほうは、下で1cm袖側に寄せる。

◎腰上げ

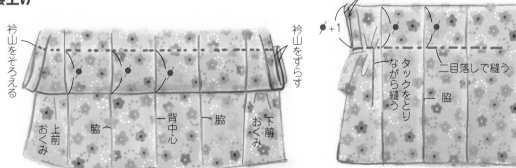

衿山をそろえる

衿山をそろえる

衿山をずらす

上前おくみ　脇　背中心　脇　下前おくみ

+1　タックをとりながら縫う　二目落しで縫う　脇

着丈は肩から足首までの寸法。腰上げ分を決め、上げ山線から折る。左身頃の
衿は図のようにそろえて重ね、右身頃のほうは折ったままの状態でいい。

ひもをつける

◎ひもを作る(ひもはさらしやブロード、キャンブリックなどを使う)

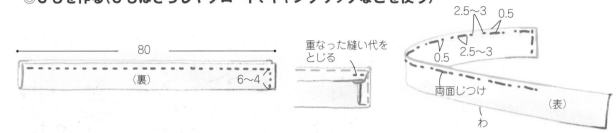

80

(裏)

6～4

重なった縫い代を
とじる

2.5～3　0.5

0.5　2.5～3

両面じつけ

わ

(表)

◎ひもつけ位置(年齢によって異なるので、子どもに合った位置を選ぶ)

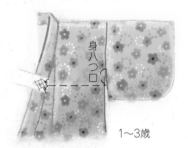

身八つ口

1～3歳

身八つ口

4～6歳

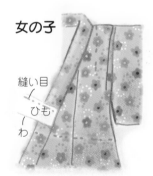

身八つ口

3

7～9歳

◎ひものつけ方(女の子はひもの縫い目が上になるようにつけ、男の子は下になるようにつける)

ひも

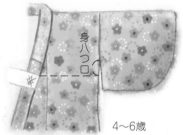

まつる

女の子

縫い目

ひも

わ

男の子

わ

ひも

縫い目

◎ひもの飾り縫いの図柄

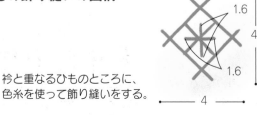

0.8

1.6

4

1.6

4

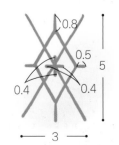

0.8

0.5

0.4

0.4

5

3

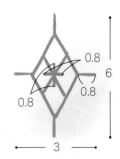

0.8

0.8

0.8

6

3

衿と重なるひものところに、
色糸を使って飾り縫いをする。

あわせの縫い方

●材料と縫い方ポイント、裁合せ、出来上り図は20ページ

印つけ

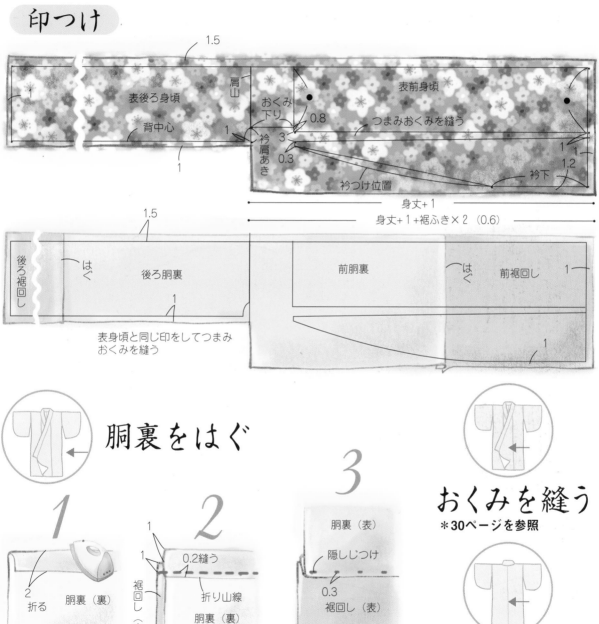

1.5

表後ろ身頃
肩山
表前身頃

背中心
1
おくみ下り
0.8
つまみおくみを縫う

衿肩あき
3
衿つけ位置
0.3

1
1.2
衿下

身丈+1

身丈+1+裾ふき×2（0.6）

1.5

後ろ裾回し
はぐ
後ろ胴裏
1

前胴裏
はぐ
前裾回し
1

1

表身頃と同じ印をしてつまみ
おくみを縫う

胴裏をはぐ

1

胴裏（裏）
2
折る

胴裏の縫い代を2cm折り、アイロンをかける。

2

1
1
0.2縫う
裾回し（表）
折り山線
胴裏（裏）

裾回しの縫い代幅は1cmなので、胴裏と1cmずらして合わせ、胴裏の折り山の外側0.2cmのところを縫う。

3

胴裏（表）
隠しじつけ
0.3
裾回し（表）

胴裏を折り山から折り、隠しじつけをする（p.29参照）。

おくみを縫う

＊30ページを参照

背中心を縫う

端から0.4cmと0.8cmのところを縫い合わせ、きせをかけて1cmのところから折る。

裏身頃、表身頃の脇を縫う

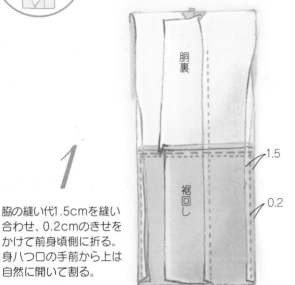

胴裏

1.5

0.2

裾回し

1

脇の縫い代1.5cmを縫い
合わせ、0.2cmのきせを
かけて前身頃側に折る。
身八つ口の手前から上は
自然に開いて割る。

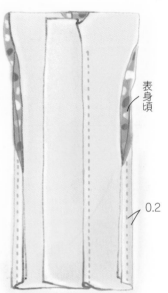

表身頃

0.2

2

表身頃の脇縫い代幅は、
布耳幅（プリントされて
いないところ）が広い場
合は耳をカットして、1.5
cmの縫い代をつけて裁
つ。縫い代は裏身頃と同
じように折る。

裏身頃と表身頃を縫い合わせる

◎前裾端を縫う（裾ぶきを作る）

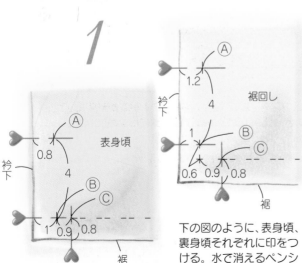

1

Ⓐ
0.8
衿下
4
表身頃
Ⓑ
Ⓒ
1 0.9 0.8
裾
Ⓒ

1.2
4
衿下
1
0.6 0.9 0.8
Ⓐ
裾回し
Ⓑ
Ⓒ
裾

下の図のように、表身頃、
裏身頃それぞれに印をつ
ける。水で消えるペンシ
ルタイプのチョークを使
うといい。

2

裾回し（裏）
衿下

Ⓑ

裾布の角を引っ張って
Ⓑを合わせる

引っ張る

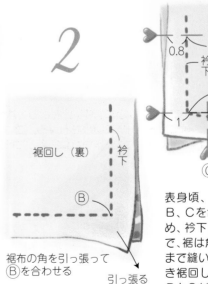

0.8
Ⓐ
衿下
表身頃（裏）
Ⓑ
Ⓒ
1
裾ぶき0.3
Ⓒ

表身頃、裏身頃の印、A、
B、Cを合わせてピンで止
め、衿下はAより少し上ま
で、裾は角から5cmぐらい
まで縫い合わせる。このと
き裾回しの角を引っ張り、
BとCが直線になるように
して縫う。

◎裾を縫う

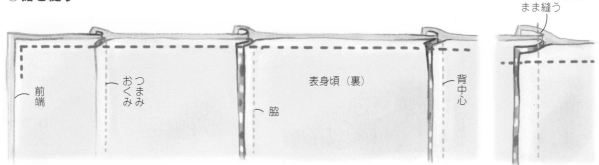

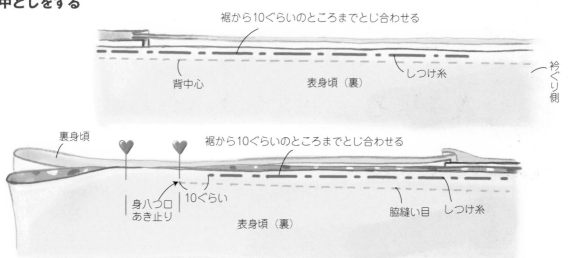

きせをかけた
まま縫う

前端

つまみ
おくみ

脇

表身頃（裏）

背中心

表身頃と裏身頃の裾端を合わせ、おくみ、脇、背中心を、きせをかけた状態でずれないようにピンで止め、縫い合わせる。

◎中とじをする

裾から10ぐらいのところまでとじ合わせる

背中心

表身頃（裏）

しつけ糸

衿ぐり側

裏身頃

裾から10ぐらいのところまでとじ合わせる

身八つ口
あき止り

10ぐらい

表身頃（裏）

脇縫い目

しつけ糸

表身頃と裏身頃がずれないように、縫い代をとじ合わせる。まず平らなところに置き、2枚の身頃をきちんと合わせ、身頃の間に手を入れて背中心をとじる。縫い代端を合わせ、0.5cm幅で裾から10cmぐらいのところまで、しつけ糸で縫う。次に脇をつれないように様子を見ながらとじる。

袖を作る

1

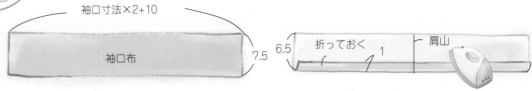

袖口寸法×2+10

袖口布

7.5

6.5　折っておく　1　肩山

裾回し用の配色のいい無地の縮緬などを使って袖口布を裁ち、片端を1cm折り、アイロンをかける。肩山位置の印はしつけ糸で縫うなどして忘れずにつけておく。

2

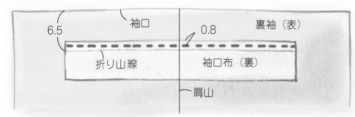

6.5　袖口　0.8　裏袖（表）

折り山線　袖口布（裏）

肩山

裏袖の表側に袖口布を図のように置き、ピンで止めて0.8cm幅で縫いつける。このとき、口布と裏袖の肩山線をきちんと合わせる。

3

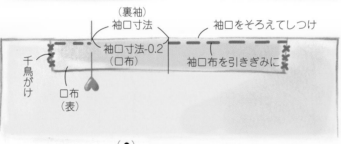

（裏袖）
袖口寸法　　袖口をそろえてしつけ

千鳥がけ

袖口寸法-0.2
（口布）　　袖口布を引きぎみに

口布（表）

袖口布を表に返し、肩山線を合わせてピンで止め、裏袖の袖口寸法とそれより0.2cm短い口布位置を合わせ、しつけをかける。口布端は千鳥がけ（p.29参照）にする。

4

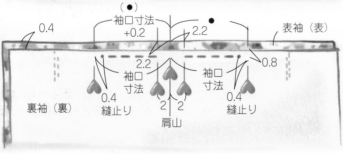

（●）
袖口寸法
+0.2　　2.2　　表袖（表）

0.4

2.2
袖口寸法

0.8

裏袖（裏）　0.4
縫止り

2　2
肩山

袖口寸法　0.4
縫止り

表袖と口布のついた裏袖を縫い合わせる。表を少しゆるめに縫い合わせると出来上りがきれいなので図のように表袖と裏袖の印を合わせてピンで止め、裏袖を引っ張りぎみに縫い合わせる。

5

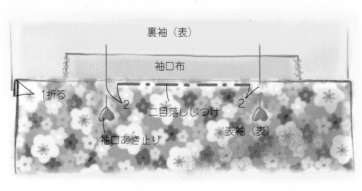

裏袖（表）

袖口布

1折る

2　二目落しじつけ　2

袖口あき止り　　※表袖（表）

表袖の縫い代を1cm幅で折り、アイロンをかけてから二目落しじつけをする（p.29参照）。

6

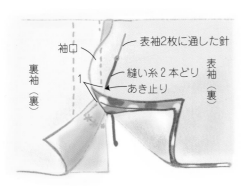

表袖2枚に通した針
袖口
裏袖（裏）
縫い糸2本どり
あき止り
表袖（裏）
1

縫い糸2本どりで、袖口あき止りを止める。まず表
袖のあき止りに2枚通して針を出す。

7

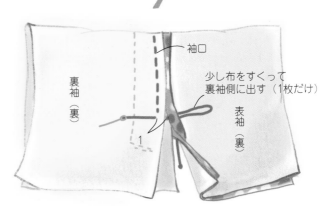

袖口
裏袖（裏）
少し布をすくって
裏袖側に出す（1枚だけ）
表袖（裏）
1

布を少しだけすくって（織り糸2本分ぐらい）裏袖
側のあき止りに針を出す。

8

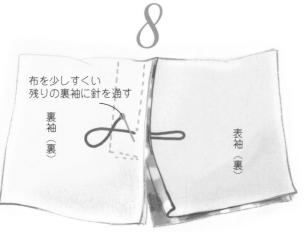

布を少しすくい
残りの裏袖に針を通す
裏袖（裏）
表袖（裏）

また布を少しだけすくって、もう一枚の裏袖のあき
止りに針を通す。

9

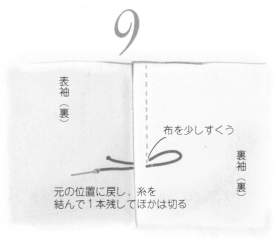

表袖（裏）
布を少しすくう
裏袖（裏）
元の位置に戻し、糸を
結んで1本残してほかは切る

もう一度布をすくって、最初の針位置に戻す。糸が
ゆるまないように4本まとめて縛り、1本残して糸
を切る。

10

1　6
裏袖を縫い合わせる
肩山
裏袖（裏）

1
6
表袖を縫い合わせる
糸を残しておく
肩山
表袖（裏）

裏袖をあき止りから6cmぐらい縫
い合わせる。表袖のほうは残して
おいた糸で、そのまま続けて縫い
合わせ、ここでも糸を残しておく。

◎左袖

1

丸くカットする

表袖、裏袖
4枚合わせて縫う

糸を残しておく

2

表袖（裏）

10

1.5

表袖の袖口を縫った糸で続けて丸みと袖下を縫う。袖下のカーブはp.80を参照して厚紙で型紙を作る。袖下は振りの手前10cmぐらい縫い残し、糸は残しておく。

2

大きな針目でぐし縫い

表袖（裏）

表袖、裏袖を
別々に縫う

（★）10

1.5

振りの手前の縫い残したところを表袖、裏袖別々に縫う。丸みの縫い代には大きい針目でぐし縫いをしておく。

3

糸の両端は玉にして止める

ぐし縫い

表前袖（裏）

丸みのぐし縫いをした糸を引きながら、丸みと袖下の縫い代を表袖側に倒してアイロンをかける。丸みがきれいに出るように、型紙を当ててアイロンをかけるといい。

4

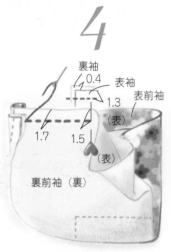

裏袖
0.4
表袖
表前袖
1.3
1.7
1.5
（表）
（表）
裏前袖（裏）

表袖と裏袖の振りを合わせ、袖つけ部分を残して縫い合わせる。袖つけ止りから表、裏とも1.5cm幅で縫い始め、徐々に表袖を0.4cm控えて縫い合わせる。右袖は6のように折る。

5

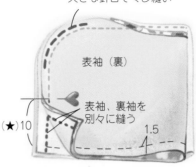

底の縫い代は
前袖側に倒す

表袖（裏）

後ろ袖側を引き出しながら振りの部分を縫う

★

裏前袖（裏）

◎右袖

裏前袖（裏）

右表前袖
（裏）

振りは袖下縫い代のきせをかけたまま縫い合わせる。袖下まで縫ったら、左袖の5と同じように、残りの振りの部分を引き出しながら袖つけ止りまで縫う。

6

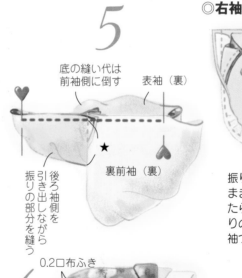

0.2口布ふき

前表袖

右袖

0.2

裏袖（表）

0.2

裏袖（表）

0.2口布ふき

前表袖

左袖

0.2

0.2

縫い代を表袖側にアイロンで折って表に返し、もう一度振りにきせをかけ、アイロンをかけて仕上げる。左袖、右袖をそれぞれ正しくできたかどうか確認する。

あわせの縫い方 46 袖を作る

身八つ口を縫う

1

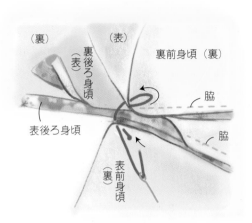

(裏) (表)

裏後ろ身頃(表)

裏前身頃(裏)

脇

表後ろ身頃

脇

表前身頃(裏)

身八つ口のあき止りに、p.45の袖口あき止りと同じように糸を渡す。

2

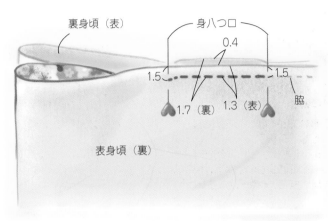

裏身頃(表)

身八つ口

0.4

1.5 ┈┈┈┈┈┈ 1.5

1.7(裏) 1.3(表) 脇

表身頃(裏)

表身頃と裏身頃を中表に合わせ、袖つけ止りから縫い始め、反対側の身八つ口まで続けて縫う。ここでも図のように表を控えて縫う。

3

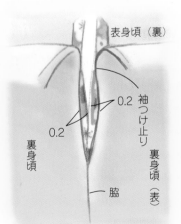

表身頃(裏)

0.2 袖つけ止り

0.2

裏身頃

裏身頃(表)

脇

表に返してアイロンをかけて、身八つ口を仕上げる。

4

◎衿下を縫い合わせる

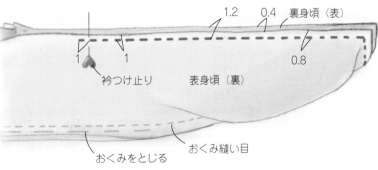

1.2 0.4 裏身頃(表)

1 1 0.8

衿つけ止り 表身頃(裏)

おくみをとじる おくみ縫い目

衿下は表身頃を0.4cm控えて裏身頃と合わせ、0.8cm幅で縫い合わせる。衿つけ止りでは表と裏の端を合わせて1cm幅で縫い、そこからさらに1cm縫っておく。おくみは先に中とじしておく。

袖をつける

1

出来上りに折る

表袖、裏袖、それぞれの縫い代を出来上り（1.5cm）に折る。はじめに折ってあるが、ここでもう一度軽くアイロンをかける。

2

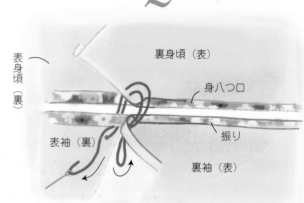

表身頃（裏）
裏身頃（表）
身八つ口
振り
表袖（裏）
裏袖（表）

身頃と袖の肩山を合わせてピンで止め、身頃と袖それぞれの袖つけ止りに身八つ口と同じように糸を渡して、あき止りをしっかりさせる。

3

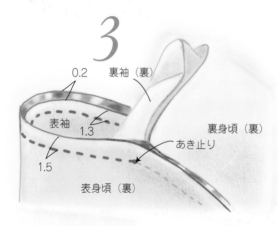

0.2
裏袖（裏）
表袖
1.3
裏身頃（裏）
あき止り
1.5
表身頃（裏）

あき止り位置では身頃と袖の縫い代端を合わせて縫うが、そこからは自然に袖側を控え、図のように縫い合わせる。

4

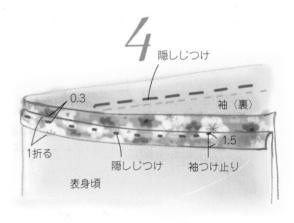

隠しじつけ
0.3
袖（裏）
1折る
隠しじつけ
袖つけ止り
1.5
表身頃

身頃側の縫い代を図のように折り、袖の縫い代に隠しじつけをして止める。

5

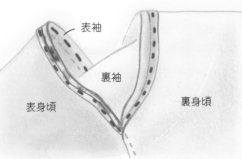

表袖
裏袖
表身頃
裏身頃

裏袖も表袖と同じように縫い合わせ、身頃の縫い代を折って隠しじつけをする。

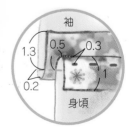

袖
1.3
0.5
0.3
0.2
1
身頃

裾の仕上げ

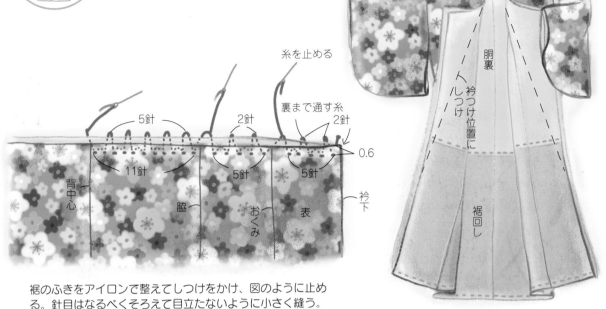

糸を止める

5針　　2針　　裏まで通す糸　2針

0.6

11針　　5針　　5針

背中心　脇　おくみ　表　衿下

胴裏

衿つけ位置に
しつけ

裾回し

裾のふきをアイロンで整えてしつけをかけ、図のように止める。針目はなるべくそろえて目立たないように小さく縫う。

衿をつける

＊34ページを参照して衿をつける。
このとき表身頃と裏身頃がずれないようにしつけをかけておく。

肩上げ、腰上げをする

＊39ページを参照

ひもをつける

＊40ページを参照

被布の縫い方 ●材料と縫い方ポイント、裁合せ、出来上り図は22ページ

身頃を作る

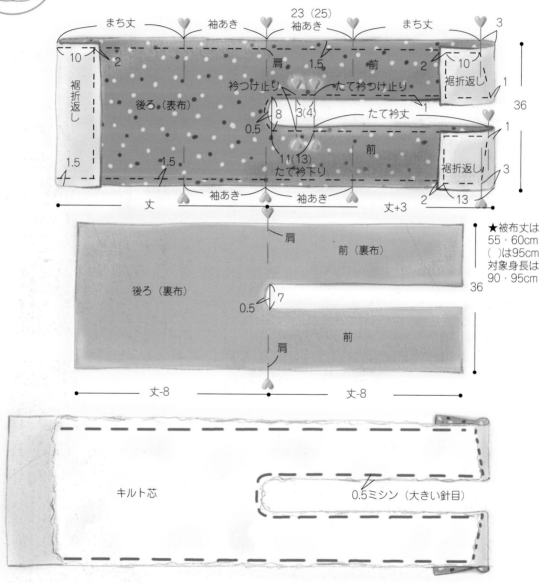

わた入れにしたい場合は、キルト芯を入れて作る。芯は薄手で、なるべく柔らかいタイプを選ぶ
といい。キルト芯は出来上りサイズより大きめに裁ち、表布にしつけて止め、回りを大きい針目
のミシンで縫いつける。余分な芯はミシン目のきわからカットしておく。

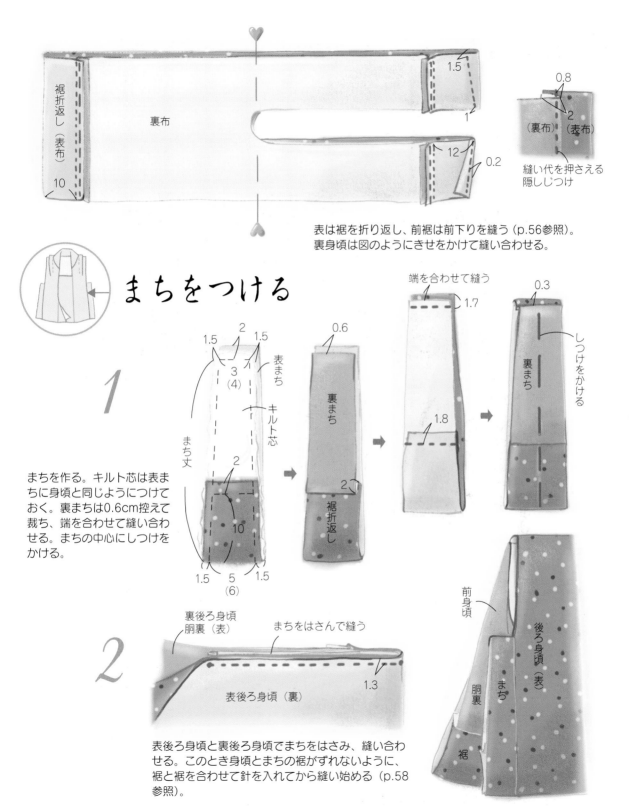

裏布

裾折返し（表布）

10

1.5

1

12

0.2

0.8

2

（裏布）（表布）

縫い代を押さえる
隠しじつけ

表は裾を折り返し、前裾は前下りを縫う（p.56参照）。
裏身頃は図のようにきせをかけて縫い合わせる。

まちをつける

1

まちを作る。キルト芯は表ま
ちに身頃と同じようにつけて
おく。裏まちは0.6cm控えて
裁ち、端を合わせて縫い合わ
せる。まちの中心にしつけを
かける。

1.5　2　1.5

3
(4)

表まち

キルト芯

まち丈

2

10

1.5　5　1.5
(6)

0.6

裏まち

裾折返し

2

端を合わせて縫う

1.7

1.8

2

0.3

裏まち

しつけ
をかける

被布の縫い方　51　まちをつける

2

裏後ろ身頃
胴裏（表）

まちをはさんで縫う

表後ろ身頃（裏）

1.3

表後ろ身頃と裏後ろ身頃でまちをはさみ、縫い合わ
せる。このとき身頃とまちの裾がずれないように、
裾と裾を合わせて針を入れてから縫い始める（p.58
参照）。

前身頃

後ろ身頃（表）

まち

胴裏

裾

袖あきを縫う

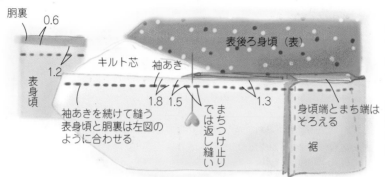

1

胴裏
0.6
1.2
表身頃
キルト芯　袖あき
表後ろ身頃（表）
1.8　1.5
袖あきを続けて縫う
表身頃と胴裏は左図の
ように合わせる
まちつけ止り
では返し縫い
1.3
身頃端とまち端は
そろえる
裾

後ろ身頃と同様に前身頃にまちをつける。このときもまちの裾と身頃の裾がずれないようにする（p.58参照）。前下りは縫い込まないで、よけて縫う。まちつけ止りでは返し縫いをし、そのまま袖あきから後ろのまちつけ止りまで続けて縫い合わせる。

2

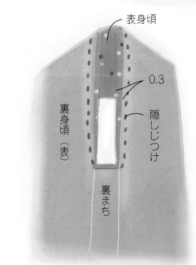

表身頃
0.3
裏身頃（表）
隠しじつけ
裏まち

袖あきは表を0.6cm控えて縫い合わせたので、裏身頃は0.3cm控えた状態になる。軽くアイロンをかけ、隠しじつけをする。

3

まちがついたところ。

衿を作る

1

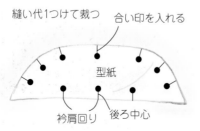

縫い代1つけて裁つ　合い印を入れる
型紙
衿肩回り　後ろ中心

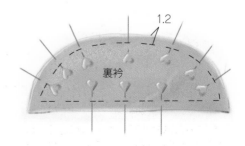

1.2
裏衿

厚紙で型紙を作り（p.22参照）、衿を裁断する。衿ぐりと衿回りに合い印を入れておく。

被布の縫い方　**52**　袖あきを縫う

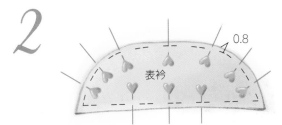 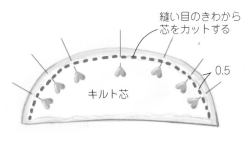

2

縫い目のきわから
芯をカットする

0.8

表衿

0.5

キルト芯

表衿も同じように裁ち、合い印を入れておく。キルト芯は表身頃と同じ大きさに裁ち、大きい針目のミシンで縫いつけ、縫い目のきわからカットする。

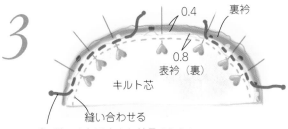

3

0.4　裏衿

0.8
表衿（裏）

キルト芯

縫い合わせる

ぐし縫いまたは大きな針目のミシン

表衿と裏衿を中表にし、回りの合い印を合わせ、表衿を0.4cm控えて縫い合わせる。カーブの部分の縫い代にぐし縫いをする。大きい針目のミシンでもいい。

4

ぐし縫い

表衿（裏）

型紙を当て、ぐし縫いの糸を引きながらアイロンで縫い代を折る。このとき0.2cmのきせをかける。

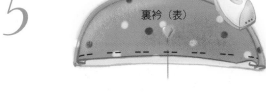

5

0.2控える

裏衿（表）

表に返す。裏衿を0.2cm控えてアイロンをかけると、きれいに仕上がる。

◎フリルつき衿の作り方

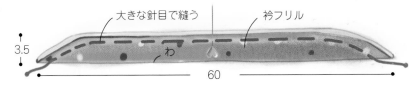

1

大きな針目で縫う　衿フリル

3.5

わ

60

フリルを作る。7×60cmに裁ち、半分に折って図のように角をなだらかなカーブにする。縫い代に大きな針目のミシンをかける。

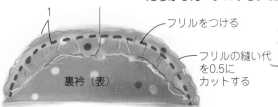

2

1

フリルをつける

裏衿（表）

フリルの縫い代を0.5にカットする

裏衿にフリルをつける。カーブのところは多めにギャザーを寄せるときれいに仕上がるが、左右のバランスをよく見て寄せる。

3

上の3と同じように表衿と裏衿を縫い合わせ、表に返す。

たて衿をつける

1

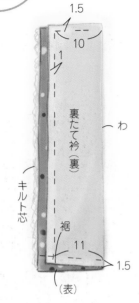

1.5
10
1
わ
裏たて衿（裏）
キルト芯
裾
（表）
11
1.5

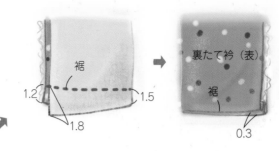

裾
1.2
1.5
1.8

裏たて衿（表）
裾
0.3

表衿側にキルト芯をつけ、裾の表は1.5cmに折っておく。裏は図のように0.6cmずらして縫い合わせる。表に返して折り山にそって軽くアイロンをかけて形を整える。

2

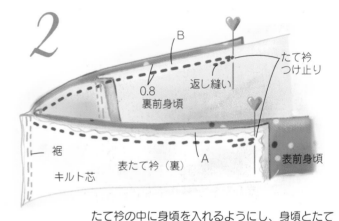

B
0.8
裏前身頃
返し縫い
たて衿
つけ止り
裾
表たて衿（裏）
キルト芯
A
表前身頃

たて衿の中に身頃を入れるようにし、身頃とたて衿を中表に合わせて縫い合わせる。身頃とたて衿の裾の縫い代はお互いに縫いつけないように、よけて縫う。このとき、折り山をそれぞれ合わせる。

3

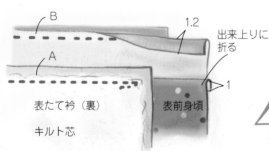

B
1.2
出来上りに折る
A
1
表たて衿（裏）
表前身頃
キルト芯

身頃の衿ぐり縫い代を表身頃は1cm、裏身頃は1.2cmに折る。

4

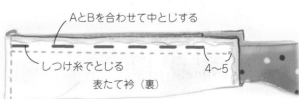

AとBを合わせて中とじする
しつけ糸でとじる
4〜5
表たて衿（裏）

つけ止りの4〜5cm下から、たて衿の縫い代をとじ合わせる。

衿をつけ、
たて衿を仕上げる

まとめ

肩上げをして、スナップ、花結びをつける。
花結びの作り方はP.23を参照。好みで背に
押し絵をつける。

1

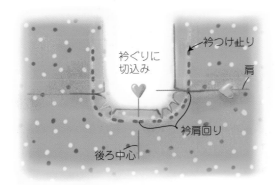

衿ぐりに
切込み

衿つけ止り

肩

衿肩回り

後ろ中心

後ろ衿ぐりに切込みを入れる。こうしておくと衿
がつけやすい。

2

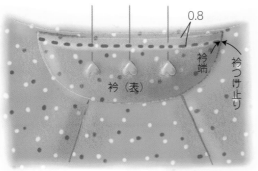

0.8

衿端

衿（表）

衿つけ止り

身頃と衿の後ろ中心、肩、衿端と身頃の衿つけ止
りを合わせて縫う。

3

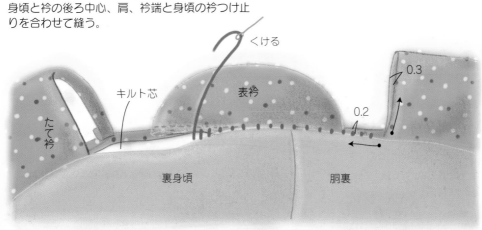

くける

キルト芯

表衿

0.3

0.2

たて衿

裏身頃

胴裏

裏身頃を衿にかぶせてくける。裏たて衿は図のように0.3cm控え、衿ぐりは0.2cm控えてくける。
衿の部分はミシン目を隠すようにくける。裏身頃の縫い代は様子を見て折り込み、ピンで止めて
からくけるといい。

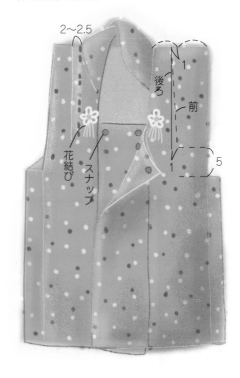

2〜2.5

後ろ

前

1

1

5

花結び

スナップ

あわせ羽織の縫い方

●材料と縫い方ポイント、裁断、出来上り図は24ページ

印つけ

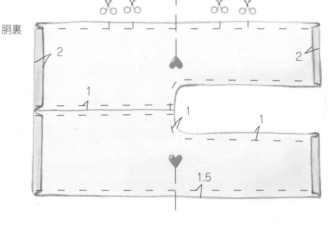

表布

1.5

後ろ裾折返し 22

後ろ身頃

前身頃

前裾折返し 26 ★

袖つけ (17.5)　身八ツ口 (10)

胴裏

2　　2

1.5

表布、胴裏それぞれを図のように折っておく。110cm幅のポリエステル縮緬で作る場合は、背中心に縫い目を入れなくても作れるが、デザイン上必要なので、はぎ合わせる。

前下りを縫う

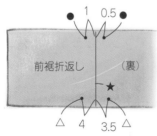

1

前裾折返し　（裏）

● 1　0.5 ●

★

△ 4　3.5 △

裾の折り返した線から裏と表それぞれの印を合わせて（表と裏が違う）縫い合わせる。

（表）

● △

2

（表）

0.2

ミシン目から胴裏側に折り、アイロンをかける。

3

0.2　しつけ　（裏）

表に返してきせをかけ、二目落しのしつけをかける。

胴裏をはぐ

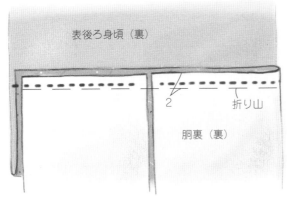

表後ろ身頃（裏）

胴裏（裏）

2　　　折り山

1.5

折り山

胴裏（裏）

表前身頃

後ろ表身頃に胴裏をつける。このとき
胴裏のほうは背中心を切り離しておき、
1.5cm幅で縫い合わせる。

背中心を縫う

1

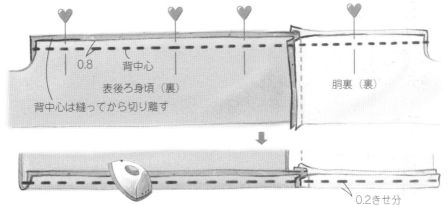

0.8　　背中心

表後ろ身頃（裏）

胴裏（裏）

背中心は縫ってから切り離す

0.2きせ分

表身頃、胴裏の背中心を続
けて縫い合わせる。縫い合
わせる幅は0.8cmで、アイ
ロンで折るときに0.2cmの
きせをかける。

2

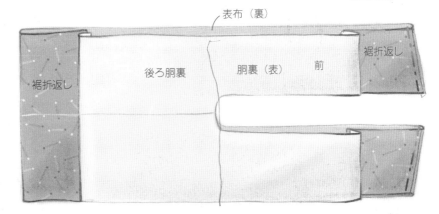

表布（裏）

裾折返し

後ろ胴裏

裾折返し

胴裏（表）　　前

裾折返し

前裾折返しも後ろ裾と同じ
ように、胴裏を縫い合わせ
る。

まちをつける

1

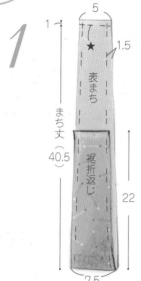

1
5
1.5
★
表まち
まち丈
（40.5）
裾折返じ
22
7.5

裾折返しは身頃と同じように
折ってから台形に裁断する。

2

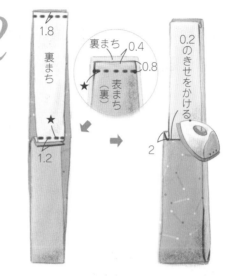

1.8
裏まち
★
1.2

裏まち 0.4
表まち（裏） 0.8

0.2
のきせをかける
2

裏布をつける。裾のところは身頃と同じ。上
辺は図のように表布を控えて縫い合わせる。

3

中心をしつけで止める

まちができたら中心を
しつけで止めておく。

4

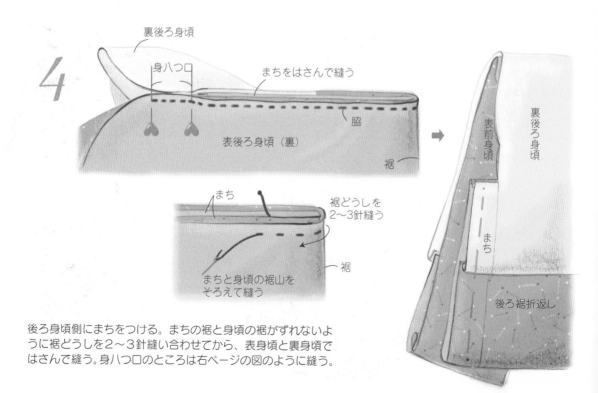

裏後ろ身頃
身八つ口
まちをはさんで縫う
脇
表後ろ身頃（裏）
裾

まち
裾どうしを
2〜3針縫う
まちと身頃の裾山を
そろえて縫う
裾

表前身頃
裏後ろ身頃
まち
後ろ裾折返し

後ろ身頃側にまちをつける。まちの裾と身頃の裾がずれないよ
うに裾どうしを2〜3針縫い合わせてから、表身頃と裏身頃で
はさんで縫う。身八つ口のところは右ページの図のように縫う。

5

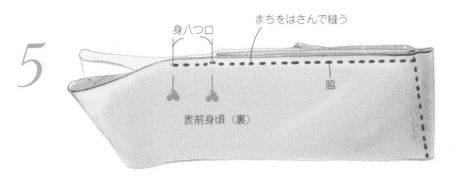

身八つ口

まちをはさんで縫う

脇

表前身頃（裏）

前身頃側にまちをつける。まち裾は身頃のきせ山と合わせ、きせ山で1針返し縫いをする。表身頃の裾の縫い代は縫い込まないように気をつける。

◎身八つ口の縫い方

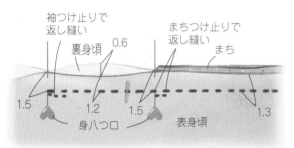

袖つけ止りで返し縫い

裏身頃

0.6

まちつけ止りで返し縫い

まち

1.5

1.2

1.5

身八つ口

表身頃

1.3

図のように表身頃と裏身頃をずらせて縫う。
まちつけ止りと袖つけ止りは返し縫いをする。

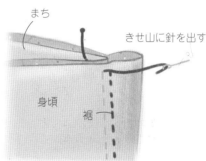

まち

きせ山に針を出す

身頃

裾

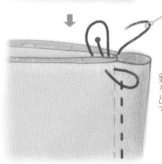

向う側に針を出しもう一度きせ山に針を出す

袖をつける

あわせ羽織の縫い方 **60** 袖をつける

1

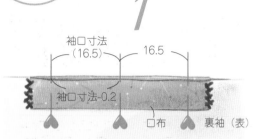

袖口寸法
（16.5）　16.5
袖口寸法-0.2
口布　裏袖（表）

裏袖に口布をつける。つけ方はp.44のあわせのきものの袖と同じ。

2

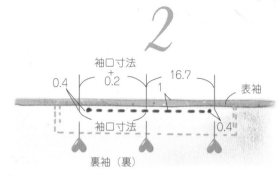

袖口寸法
＋
0.2
0.4　　1　　16.7　　表袖
袖口寸法　　0.4
裏袖（裏）

口布をつけた裏袖と表袖の袖口端をそろえて縫い合わせる。

3

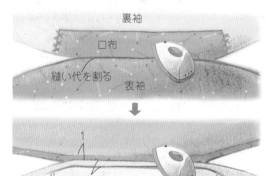

裏袖
口布
縫い代を割る
表袖

1
1

羽織の袖口は口布のふきを出さないで仕立てるので縫い代をアイロンで割る。ポリエステルの場合はアイロンがききにくいが、しっかりかける。

4

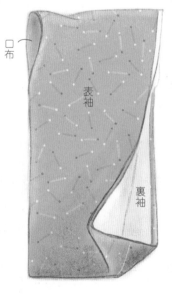

口布
表袖
裏袖

出来上りに折る
折り幅1.5

p.44のきものの袖と同じように縫い合わせ、袖を作る。ここでは袖下に丸みをつけず、四角に仕上げる。この場合も縫い代は前袖側に折り、きれいな角になるようにする。袖つけの縫い代は、表裏とも出来上りに折っておく。

5

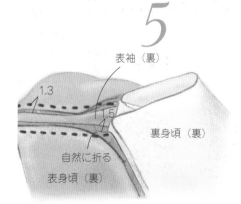

表袖（裏）
1.3
1.5
裏身頃（裏）
自然に折る
表身頃（裏）

裏袖（裏）
表身頃（裏）
裏身頃（裏）

袖をつける。表身頃と表袖を中表にし、縫い代端をそろえて袖つけ止りから1.5cmの縫い代で縫い始め、自然に1.3cm幅で縫い合わせる。縫い代はp.48と同じように折る。

衿をつける

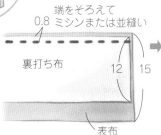
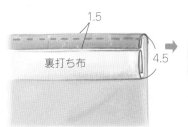

端をそろえて
0.8 ミシンまたは並縫い

裏打ち布

表布

12　15

1.5

裏打ち布

4.5

0.3

裏衿（表布）

芯（さらし）

表布に裏打ち布として裏布を縫いつける。出来上り幅4.5cm
になるように縫い代と裏打ち布を折る。次に表衿を出来上り
に折る。このとき衿芯としてさらしを入れる。

衿ぐりの縫い代に
切込みを入れる

しつけ糸

縫いずれないように衿ぐりの縫い代
にしつけをかける。後ろ衿ぐりの縫
い代には切込みを入れておく。

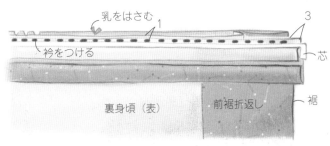

乳をはさむ　1

衿をつける

3

芯

裏身頃（表）

前裾折返し

裾

裏身頃側から衿をつける。このとき、乳（ひもつけ）をはさむ。
しつけをしてミシンでつけてもいいし、手縫いにしてもいい。

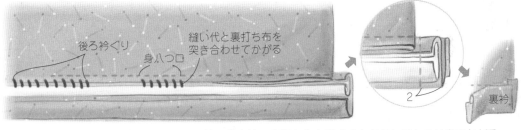

後ろ衿ぐり

身八つ口

縫い代と裏打ち布を
突き合わせてかがる

2

裏衿

身八つ口と後ろ衿ぐりのところは、身頃の縫い代と衿の裏打ち布を突き合わせにしてしつけ糸でかがる。
糸は引きすぎないようにする。衿の裾は裏打ち布と表衿を別々に折り、縫い合わせてきせをかけ、表に返す。

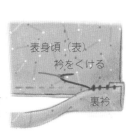

表身頃（表）
衿をくける

裏衿

裏衿を表身頃にくける。
様子を見ながら、しつけ
をしてからくけると上手
にできる。

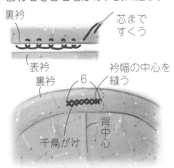

裏衿

芯まで
すくう

表衿
裏衿

裏衿

衿幅の中心を
縫う

6

千鳥がけ

背中心

後ろ衿ぐり部分の裏衿
に千鳥がけをして、折
り返しやすいようにす
る。糸は衿芯まで通し、
表に出ないように気を
つけて縫う。

はかまの縫い方 ●材料と縫い方ポイント、裁合せ、出来上り図は26ページ

裾を三つ折りにする

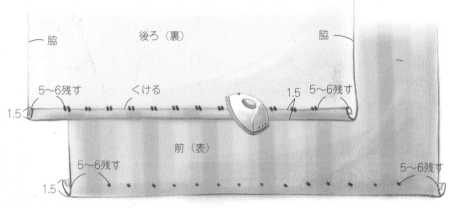

脇　　後ろ（裏）　　脇

5〜6残す　　くける　　1.5　5〜6残す

1.5

前（表）

5〜6残す　　　　　　5〜6残す

1.5

前、後ろをそれぞれ裁断したら、裾を出来上りに折って三つ折りにする。
両脇は5〜6cmずつ残してくける。

前ひだを折る

Aから順にひだを折っていく。
ひだは1本折るたびに、しつ
け糸で二目落しじつけで止め
る。折り終わったらひだ奥に
も折りがつくようにしっかり
アイロンをかける。特に裾の
三つ折りのところはアイロン
がかかりにくいので、丁寧に
押しつけるようにかける。

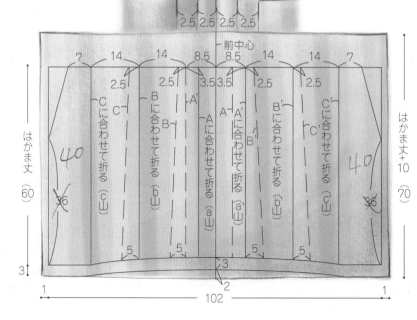

3.5

2.5 2.5 2.5 2.5

前中心

7　14　14　8.5　8.5　14　14　7

2.5　2.5　3.5 3.5　2.5　2.5

C C' B B' A A' A' A' B' B C' C

Cに合わせて折る（c山）　Bに合わせて折る（b山）　Aに合わせて折る（a山）　Aに合わせて折る（a山）　Bに合わせて折る（b山）　Cに合わせて折る（c山）

はかま丈（60）　40　36

はかま丈+10（70）　40　36

5　5　3　5　5

3

2

1　102　1

後ろひだを折る

後ろは前とは違う折り方をする。ここでもひだを折るたびに、しつけ糸で二目落しじつけで縫い止めていく。ひだを折り終わったら、前と同じように押しつけるようにしてアイロンをかける。

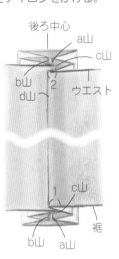

後ろ中心

a山
c山
b山
d山
2
ウエスト

1　c山
b山　a山
裾

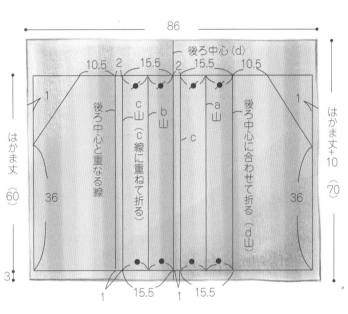

86

後ろ中心 (d)

10.5　2　15.5　2　15.5　10.5

はかま丈 (60)

1　36

後ろ中心と重なる線

c山（c線に重ねて折る）

b山

a山

c

後ろ中心に合わせて折る（d山）

1　36

はかま丈+10 (70)

3

1　15.5　1　15.5

前

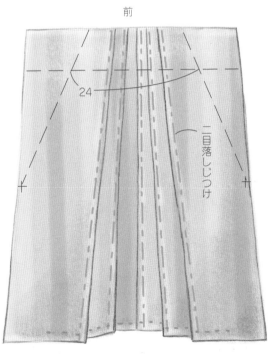

24

二目落しじつけ

後ろ

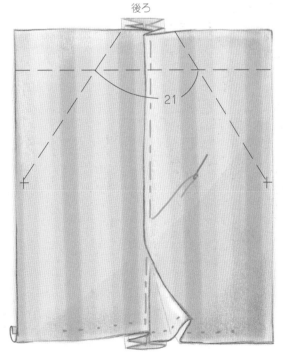

21

前後脇あきを仕上げる

1

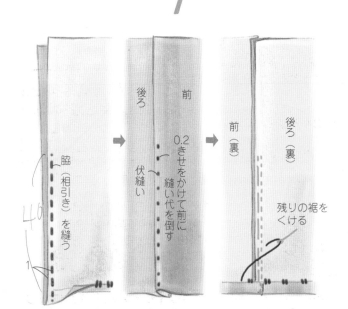

脇（相引きという）をあき止りまで縫い合わせる。縫い代にきせをかけて前側に倒し、伏縫いをする（p.29の折伏せ縫い参照）。裾のくけていなかった部分を仕上げる。

2

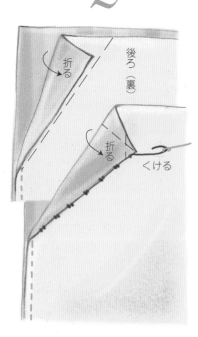

後ろのあきを仕上げる。まず印に合わせて折り、もう一度折ってくける。三角に折るときアイロンをきかせる。

3

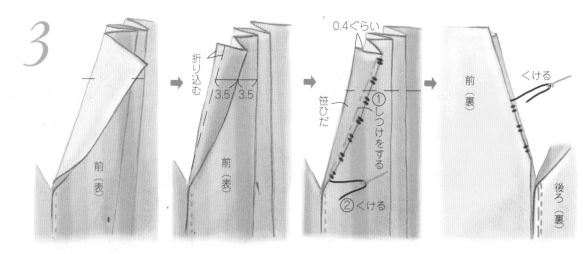

前のあき（笹ひだ）を仕上げる。まず印から表側に折り、次にひだ山から3.5cmのところから反対に折り返し、余った分は最初の折り山から、上で0.4cmぐらい出るように、あき止り位置では自然に折り山にそろえて内側に折り込む。しつけをかけて、表、裏ともくける。ここでもアイロンをきかせる。

腰板をつける

1

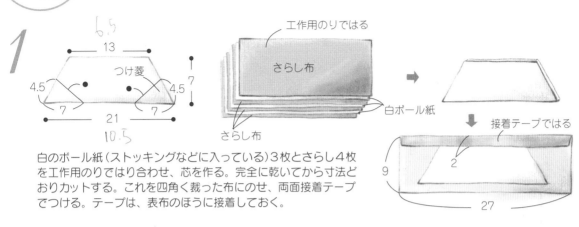

6.5
13
つけ菱
7
4.5　　　　4.5
7　　　21　　　7
10.5

工作用のりではる
さらし布
白ボール紙
さらし布

接着テープではる
9　　　2
27

白のボール紙（ストッキングなどに入っている）3枚とさらし4枚を工作用のりではり合わせ、芯を作る。完全に乾いてから寸法どおりカットする。これを四角く裁った布にのせ、両面接着テープでつける。テープは、表布のほうに接着しておく。

2

折ってはる

表腰布
つけ菱位置の印をつける
4.5　7　　　7　4.5

たるまないように気をつけながら表布をはり、腰板の形にする。しつけ糸でつけ菱位置の印をつける。熱や水で消える白いチョークがあればそれでもいい。

3

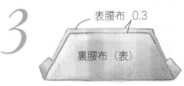

表腰布　0.3
裏腰布（表）

裏腰布も表腰布と同じ寸法で裁ち、腰板寸法より回りを0.3cm控えて、出来上りに折っておく。

4

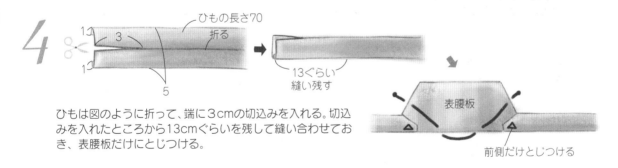

ひもの長さ70
折る
3
5

13ぐらい縫い残す

表腰板
前側だけとじつける

ひもは図のように折って、端に3cmの切込みを入れる。切込みを入れたところから13cmぐらいを残して縫い合わせておき、表腰板だけにとじつける。

5

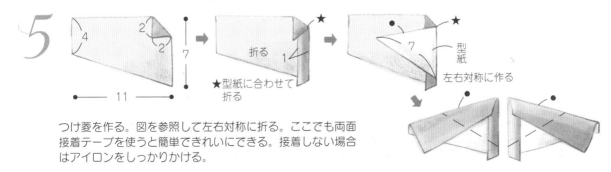

4
2
2
7
11

折る
1
★型紙に合わせて折る

★
7
型紙
左右対称に作る

つけ菱を作る。図を参照して左右対称に折る。ここでも両面接着テープを使うと簡単できれいにできる。接着しない場合はアイロンをしっかりかける。

6

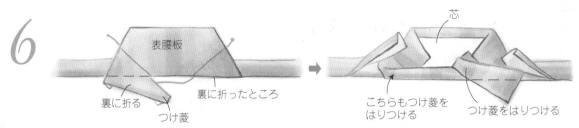

芯

表腰板

裏に折る

つけ菱

裏に折ったところ

こちらもつけ菱を
はりつける

つけ菱をはりつける

表腰板の印に合わせてつけ菱を置いてピンで止め、下の余った分を裏に折り返す。この部分は両面接着テープではりつけるか、ボンドでつける。

7

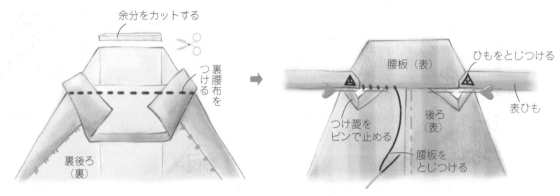

余分をカットする

裏腰布を
つける

腰板（表）

ひもをとじつける

つけ菱を
ピンで止める

後ろ
（表）

表ひも

腰板を
とじつける

裏後ろ
（裏）

裏腰布を裏後ろ側に縫いつける。ここで、はかま布が腰板からはみ出るようなら、余分をカットする。表に表腰板をのせ、つけ菱を倒した状態で、裏腰布をつけたミシン目を隠すようにとじつける。

8

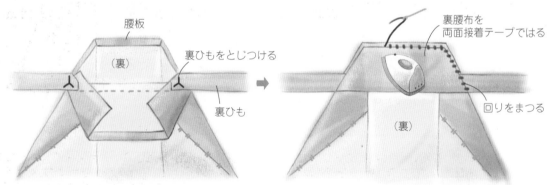

腰板
（裏）

裏ひもをとじつける

裏ひも

裏腰布を
両面接着テープではる

回りをまつる

（裏）

裏ひもをしっかりとじつけたら、裏腰布をかぶせ、回りを細かくまつる。

9

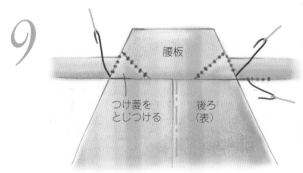

腰板

つけ菱を
とじつける

後ろ
（表）

つけ菱をとじつける。ひもの縫い残した
部分もとじ合わせる。ひもにアイロンを
しっかりかける。

前ひもをつける

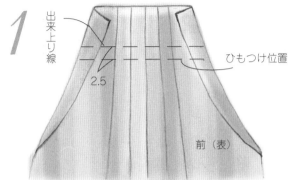

1

出来上り線

2.5

ひもつけ位置

前（表）

ひもつけ位置と出来上り線（折り山）に印をつけておく。

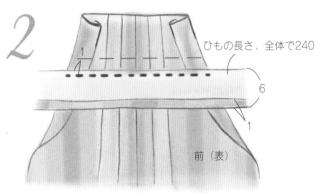

2

1

ひもの長さ、全体で240

6

1

前（表）

ひもははかまにつける部分と、そこから左右に10cmぐらいを残して縫い合わせておく。つけてから縫うより作業が簡単でいい。

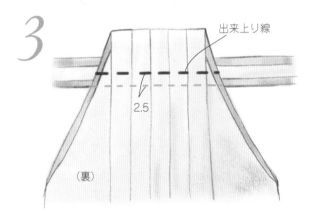

3

出来上り線

2.5

（裏）

出来上り線（折り山）に大きい針目のミシンをかける。このミシンは後でほどくので針目は大きくしておくこと。

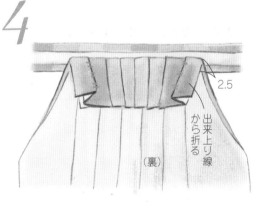

4

2.5

出来上り線から折る

（裏）

はかまを出来上り線から折る。ひだのために厚みがあるので、**3**でミシンをかけておくと折りやすい。ここでアイロンをかけてきっちり折る。

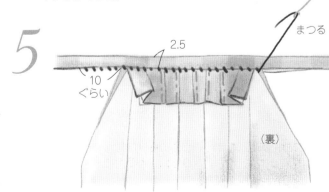

5

まつる

2.5

10
ぐらい

（裏）

ひもを出来上りに折って縫い残してある部分をまつる。厚みがかなりあるので、一針一針しっかり布をすくわないと安定した仕上りにならない。**3**でかけた出来上り線のミシンをほどく。前後のひだのしつけ糸を取って出来上り。

▌じゅばん

＊材料

[肌じゅばん] さらしを2.1m
[半じゅばん] さらしを2.1m　110cm幅
プリント地（袖用）袖丈×2＋5cm（反物
の場合は袖丈×4＋10cm）

＊作り方ポイント

肌じゅばんは5歳の男の子用、半じゅば
んは女の子用。本来は肌じゅばんに長じ
ゅばんを重ねるのだが、ここでは、肌じ
ゅばんと長じゅばんを兼ねた半じゅばん
とペティコートつけることで、動きやす
さを提案をしている。じゅばんもゆき丈
に合わせて肩上げをする。

●肌じゅばん

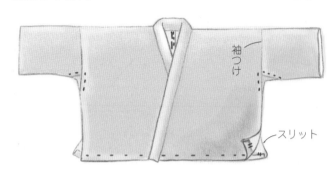

袖つけ

スリット

●裁ち方

100～120サイズ用（数字は順に100・110・120サイズ）

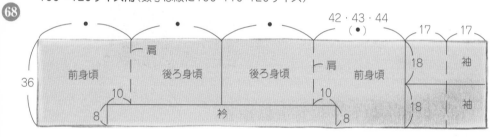

36

前身頃　　肩　　後ろ身頃　　後ろ身頃　　肩　　前身頃　　42・43・44（●）　　17　　17

18　　袖

18　　袖

10　　衿　　10

8　　8

90～95サイズ用

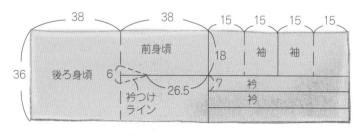

38　　38　　15　　15　　15　　15

36　　後ろ身頃　　前身頃　　18　　袖　　袖

6

衿つけ
ライン　　26.5　　7　　衿

衿

●印つけ

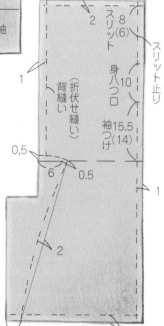

（　）は90～95サイズ

2　　スリット　　8（6）

1

（折伏せ縫い）
背縫い　　身八つ口　　10　　スリット止り

袖つけ　　15.5（14）

0,5

6　　0.5

1

2

4　　2

●脇縫い

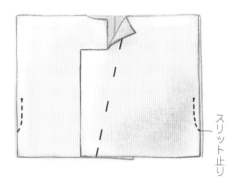

スリット止り

●衿つけ

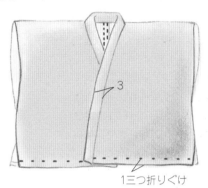

3

1三つ折りぐけ

●袖つけ

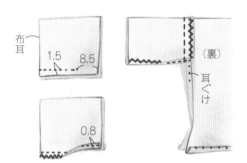

布耳

1.5　8.5

0.8

（裏）

耳ぐけ

●出来上り

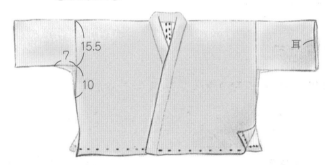

7　15.5

10

耳

●半じゅばん

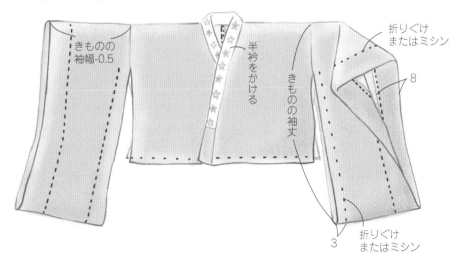

きものの
袖幅-0.5

半衿を
かける

きものの袖丈

折りぐけ
またはミシン

8

3

折りぐけ
またはミシン

ペティコート

＊材料

90cm幅裏布を身長×½ ゴムテープ45
～50cm

＊作り方ポイント

裾を三つ折りにしてミシンをかける。端
は布の耳をそのまま使う。図の寸法を参
照してウエスト部分を重ね、ウエストは
三つ折りにしてミシンをかけ、ゴムテー
プを通す。着用するときは、重なったほ
うを後ろにする。

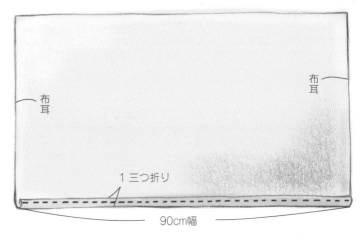

布耳

布耳

1 三つ折り

90cm幅

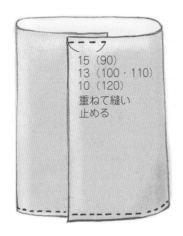

15 （90）
13 （100・110）
10 （120）
重ねて縫い
止める

ゴムテープ
通し口

1.5

（裏）

ゴムテープの
長さ45～50

●押し絵の実物大図案

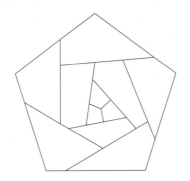

押し絵（背守り）　●写真7・8ページ

*材料
ボール紙　好みの布（できれば絹の端ぎれ）適宜
ドミット芯少々　金糸

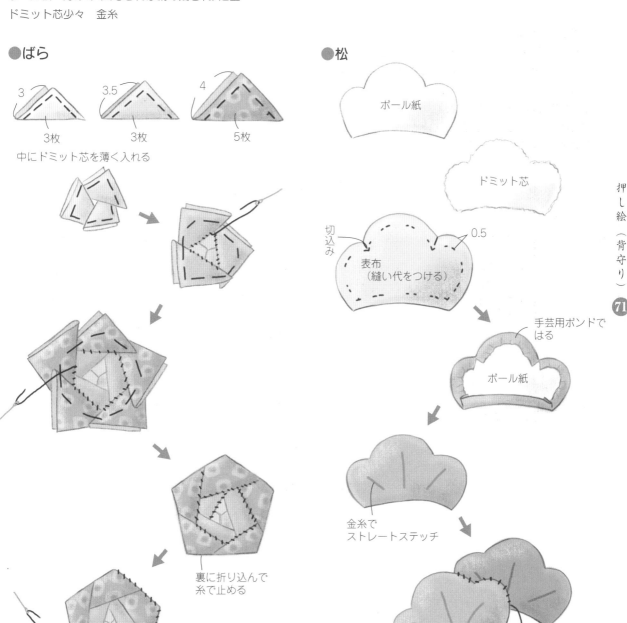

●ばら

3　3枚
3.5　3枚
4　5枚

中にドミット芯を薄く入れる

裏に折り込んで
糸で止める

被布につける

●松

ボール紙

ドミット芯

切込み

0.5

表布
（縫い代をつける）

手芸用ボンドで
はる

ボール紙

金糸で
ストレートステッチ

重ねてまつる

ゆかた用つけ帯 ●写真12ページ

＊材料

110cm幅タイシルク60cm　110cm幅ドミット芯60cm　2.5cm幅マジックテープ14cm　1.2cm幅ゴムテープ32cm　2.5cm幅バイアステープ

＊作り方ポイント

前帯、上リボンは、筒に縫って表に返し、ドミット芯を入れる。下リボンは返し口を残して筒に縫い、図のように端を縫って表に返し、ドミット芯を入れてから返し口をとじる。前帯は片方にゴムテープを入れ、縫い止めてからマジックテープをつける。もう一方は、子どものサイズに合わせて長さを決め、マジックテープをつける。

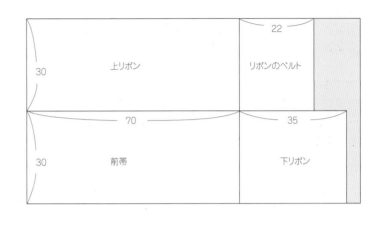

30	上リボン	22 リボンのベルト
30	70 前帯	35 下リボン

●リボンの作り方

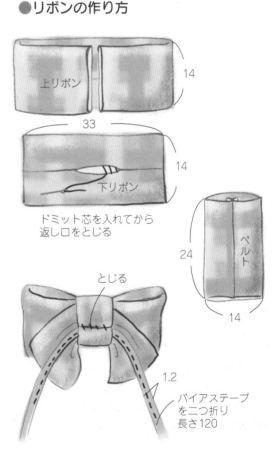

前帯

12　ドミット芯を縫い止める

前帯　14

ゴムテープを通す

ゴムテープを縫い止める　ドミット芯を入れる

ジグザグミシン　裏側　表側　マジックテープ　裏側　マジックテープ

6

子どものサイズに合わせてマジックテープをつける

リボン

上リボン　14

33　下リボン　14

ドミット芯を入れてから返し口をとじる

ベルト　24　14

とじる

1.2

バイアステープを二つ折り　長さ120

‖きんちゃく袋 ●写真14・15ページ

フリルきんちゃく

＊材料

ポリエステル縮緬、ドミット芯、裏布各20×50cm　バックサテンシャンタン（フリル口布分）10×50cm　打ちひも1.5m

＊作り方ポイント

ドミット芯は図のようにつけ、余分はミシン目のきわからカットする。裏袋は表と同じ大きさに作り、表袋と合わせて口布をつける。

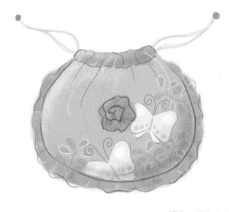

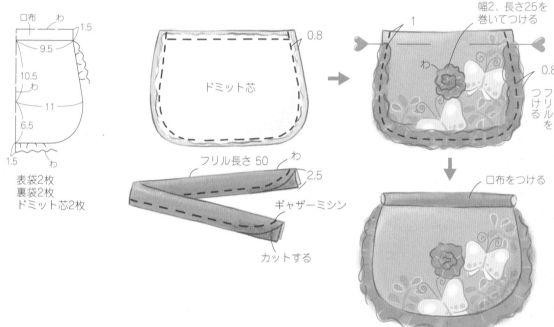

口布　わ
1.5
9.5
10.5
わ
11
6.5
1.5　わ
表袋2枚
裏袋2枚
ドミット芯2枚

ドミット芯
0.8

フリル長さ 50　わ
2.5
ギャザーミシン
カットする

幅2、長さ25を巻いてつける
1
わ
0.8
フリルをつける

口布をつける

かごきんちゃく

＊材料

プリント木綿20×（ざる回り寸法＋10cm）　ざる1個　打ちひも1.5m

＊作り方ポイント

適当な大きさのざるやかごに布の袋をとじつけて作る。ざるの深さに応じて袋のサイズを調節する。袋はざるに糸で巻きかがりをするようにつける。

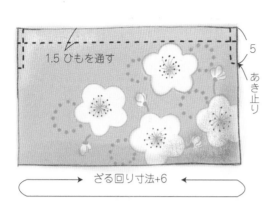

1.5 ひもを通す

5

あき止り

ざる回り寸法+6

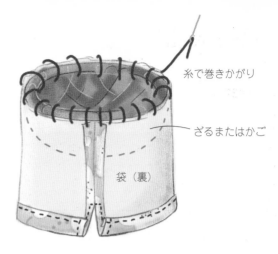

糸で巻きかがり

ざるまたはかご

袋（裏）

お手玉きんちゃく

＊材料

ポリエステル縮緬のプリント、絞り各30×18cm　裏布
52×22cm　アップリケ布少々　打ちひも1.5m

＊作り方ポイント

図のように布をはぎ合わせ、表袋を作る。裏袋はまちを
縫って四角く作り、表裏それぞれ袋口を出来上りに折り、
ひも通しをはさんでとじ合わせる。アップリケはきもの
の端ぎれをたてまつりでつける。

表袋 4枚〈各2枚〉

27

20

7

裏袋

＋∅

∅/2

∅/2

まち

∅/2

まち

∅/2

わ

∅/2

∅/2

∅×2

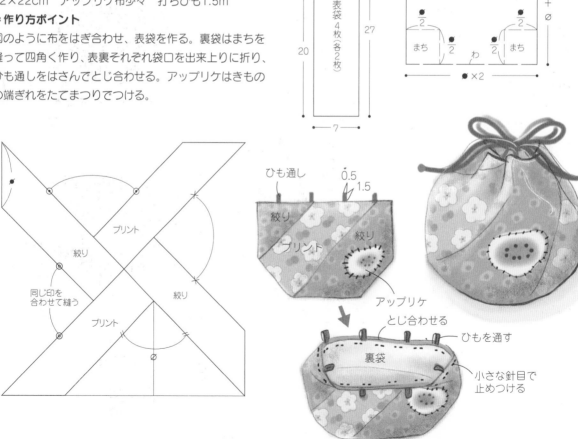

プリント

絞り

絞り

同じ印を
合わせて縫う

絞り

プリント

∅

ひも通し

0.5

1.5

絞り

プリント

絞り

アップリケ

とじ合わせる

ひもを通す

裏袋

小さな針目で
止めつける

用語について

【きものの名称】

＊衿下
前身頃端の、衿つけ止りから下の部分のこと

＊おくみ
前身頃の打合せが充分にできるように、縫い足す布のこと。背縫いをしない一つ身の場合は、おくみをつけるが、四つ身の場合はつまみ縫いをして、おくみがついているように見せる。

＊おくみ下り
肩山からおくみ先までの寸法、及びその部分のこと。

＊肩上げ
ゆきの寸法に合わせて肩の位置でとる上げのこと。子どものきものや羽織に使われる。位置や縫い方はp.39を参照。

＊きせ
縫い目どおりに折らずに、余分を持って折ること。きせをかけるという。だいたい2～3mmのことが多い。

＊着丈
肩から足首までの長さ。

＊元禄袖
女性の袖形の名称。元禄時代の袖形なので、こう呼ぶようになった。子どもでは3歳ぐらいまでのきものに使う。

＊腰上げ
きものの着丈の長さを調節するために、腰の部分にする上げのこと。肩上げ同様、p.39を参照。

＊七五三の祝い着
男子は3歳と5歳、女子は3歳と7歳の11月15日に着る祝い着。3歳は"髪置きの祝い"、5歳は"はかま着の祝い"、7歳は"帯はじめの祝い"といい、成長する子どもに合わせて行なわれた儀式の名残。

＊じゅばん
肌じゅばん、長じゅばん、半じゅばんがある。肌じゅばんは肌着として着るもので、丈は腰くらい。長じゅばんはスリップのような役目のもので、丈はきものより少し短め。半じゅばんは、ペティコートのような裾よけと組ませて、長じゅばんのように着る。子どもの場合は、本書のように男の子は肌じゅばん、女の子は半じゅばんと裾よけをつけるといい。

＊裾回し
あわせきものの裏身頃の裾と袖口に使う布。本書では、シャンタンや無地のポリエステル縮緬を使っている。表布との色の組合せを考えて選ぶとデザインポイントにもなる。

＊たて衿
被布やコートなどの前身頃の裾から衿もとまで、たてについている衿。

＊伊達衿
重ねに見せるため、きものの衿の下に止めつける別衿。

＊乳（ち）
羽織のひもを通すために、衿についている小さなループのこと。

＊筒袖
筒状になった袖。男の子のきものや大人の日常着、労働着に使われる。

＊胴裏
あわせきものの裏で、裾回しを除いた身頃や袖につける裏布のこと。本書ではキュプラなどの裏地を使用。

＊長袖
振り袖よりは短いが、元禄袖より長い袖。お正月用や、5歳以上の女の子のゆかたに使う。

＊半衿
きものの衿もとからのぞかせるため

に、じゅばんの衿にかける別衿のこと。白や淡色が一般的だが、儀式には金、銀糸の刺しゅうをしたものをつける。きものの色柄に合わせてカラーコーディネートするといい。

＊一つ身
小裁ちともいい、赤ちゃん用で背縫いがなく、おくみをつけて仕立てる。

＊ふき
あわせやわた入れなどで、表布より裏布を少しのぞかせること。袖口は袖ふき、裾は裾ぶきと呼ぶ。

＊舟底袖
筒袖の応用形。袖下が舟の底のようにカーブしているので、こう呼ばれる。乳児用や大人の働き着などに使われる。

＊振り袖
丈の長い袖のこと。子どもの場合、お祝い着に使うと華やかになる。本書では3歳と7歳のきものが振り袖。

＊身八つ口
袖つけ下の脇あき、またはその寸法のこと。子どものきものの場合は、10～12cmぐらいあける。

＊かけ衿（共衿）
衿の上にかける衿をかけ衿といい、共布を使う場合を共衿と呼ぶ。

＊ゆき丈
首の後ろ中心から手首までの長さ。子どものきものの場合、肩上げをするためにはかる。p.17を参照。

＊四つ身
中裁ちともいい、2～3歳から10歳ぐらいまでの子どものきもの。背縫いをして、おくみ布はつけないが、おくみらしく見せるために、つまみおくみにすることもある（本書の縫い方）。

【縫い方の名称】

（p.28のイラストも参照）

＊並縫い

ぐし縫いともいい、普通の運針のこと。

＊半返し縫い

1目すくって針を抜き、その針目の半分だけあとに戻し、1目すくう。

＊本返し縫い

1目すくって針を抜き、その針目を全部返して1目先に針を出して縫う。丈夫な仕立てになる。

＊耳ぐけ

布耳をくけつける方法。

＊隠しじつけ

折りきせを整えて、きせがくずれないようにするための縫い方。しつけとはいえ、仕上げてからも残しておくので、布と同色の糸を使う。

＊二目落し

肩上げ、腰上げの縫い方。表に3〜5mmの針目2目が、2〜3cm間隔に見える縫い目。

＊千鳥がけ

糸をクロスさせるように、左から右へとくけていく。厚地の場合は三つ折りぐけの代りに使うといい。

＊本ぐけ

くけ合わせる布のくけ代（縫い代）を裏側に折って合わせ、折り山から1〜2mm内側を5〜7mmぐらいの針目で布をすくってくけ合わせる（とじ合わせる）。

＊三つ折りぐけ

布端を三つ折りにして、折り山から1mmぐらい奥を1cm間隔で小さな針目でくける。

＊袋縫い

縫い代の布端が表に出ない縫い方。ゆかたなどのひとえの背縫いなどに使う。まず布を外表に合わせて縫い、次に中表にして縫う。

＊折伏せ縫い

一方の縫い代を5mmぐらい多くつけて縫い合わせ、少ないほうの縫い代を包んで縫い止める。ゆかたの背縫いなどに使う。

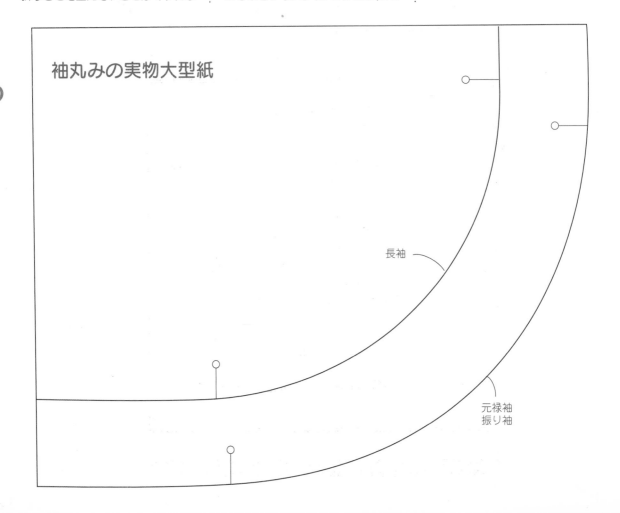

袖丸みの実物大型紙

長袖

元禄袖
振り袖

【林 ことみ】

息子の誕生をきっかけに「わたしの赤ちゃん」(主婦の友社)で子ども服作りを始める。
「手作りママ＆キディ」(婦人生活社)で編集に携わり、
現在は初心者でも作りやすい服作りを提案している。著書に『マンガdeソーイング』シリーズ10刊 (文化出版局) がある。

装丁、レイアウト　岡山とも子
撮影　斎藤 亢
イラスト、トレース　小池百合穂
髪型、着つけ　飯塚ひろみ (TAYA伊勢丹相模原店)

布地提供
有輪商店　大阪市中央区瓦町2-5-4　Tel.06-6202-0261
●本書で使用したP.6、10、12、13の布地を通信販売いたします。詳しくは下記にお問い合わせください。
ワンマイルローゼス　大阪市北区長柄中1-5-13　Fax.06-6202-1677
リボン提供
ラ・ドログリー表参道店　東京都渋谷区神宮前4-26-18　原宿ピアザビル1階　Tel.03-5410-2381
道具提供
クロバー　大阪市東成区中道3-15-5　Tel.06-6978-2211

はじめてでも縫える
こどものきもの

2000年9月10日　第1刷発行

著者　林 ことみ
発行者　大沼 淳
発行所　文化出版局
〒151-8524　東京都渋谷区代々木3-22-1
電話　03-3299-2488(編集)　03-3299-2542(営業)
印刷所　株式会社文化カラー印刷
製本所　大口製本印刷株式会社

© Kotomi Hayashi 2000 Printed in Japan
万一乱丁落丁がありましたらお取り替えいたします。

お近くに書店がない場合、読者専用注文センターへ　☎0120-463-464
ホームページ　http://books.bunka.ac.jp/